Aprende gramática y vocabulario 3

Francisca Castro Viúdez

Pilar Díaz Ballesteros

SOCIEDAD GENERAL ESPAÑOLA DE LIBRERÍA, S. A.

Primera edición, 2006
Segunda edición, 2010

Produce SGEL – Educación
Avda. Valdelaparra, 29
28108 Alcobendas (Madrid)

ISBN: 84-9778-181-3
Depósito legal: M-21909-2011
Printed in Spain – Impreso en España

Diseño de cubierta: Cadigrafía, S. L.
Diseño y maquetación: Paula Álvarez Rubiera
Ilustraciones: Javier Carbajo

Impresión: Gráficas Rógar. S.A.
Encuadernación: AGA

Presentación

La serie *Aprende gramática y vocabulario* presenta al estudiante de español todos los temas de gramática explicados de forma muy clara y con la práctica correspondiente para conseguir su asimilación.

Se trata de una serie de libros de teoría y práctica que se inscriben dentro de las directrices del *Marco común europeo de referencia.* Sus cuatro tomos, cuidadosamente graduados, corresponden a los niveles de referencia A1, A2, B1 y B2. La idea que subyace en la obra que presentamos es que la competencia gramatical resulta indispensable para lograr la competencia comunicativa, es decir, para que los usuarios de español sean capaces de comunicarse en contextos socialmente significativos. Por tanto, el fin principal que se persigue es ayudar a los estudiantes de español a conseguir una buena base gramatical y léxica que les permita desenvolverse en diferentes situaciones de comunicación.

Aprende gramática y vocabulario 3 se compone de 33 temas de gramática y 17 de vocabulario, y presenta la materia necesaria para alcanzar los objetivos descritos en el *Marco común europeo de referencia* para el nivel B1.

Cada unidad de la parte de **Gramática** está estructurada en varias secciones:

Situaciones. Se describen con un lenguaje claro y accesible las funciones esenciales de la estructura, y se ejemplifican con el fin de proporcionar al estudiante claves para el uso de dicha estructura.

Hay, además, una tarea de reconocimiento de la situación con el ejemplo, a fin de estimular la búsqueda del significado de las formas.

¿Cómo es? Se presentan los paradigmas lingüísticos de forma clara y estructurada, para facilitar su asimilación y consulta.

Práctica. Las actividades se presentan escalonadas metodológicamente, de tal manera que las primeras se centran en el reconocimiento y la práctica de la forma, y las últimas llevan al alumno a la producción lingüística en contextos cada vez más amplios, a medida que progresa el aprendizaje.

La parte de **Vocabulario** consta de una primera actividad que sirve de presentación y reconocimiento del léxico concreto de un campo, presentado en contexto, seguido de actividades variadas para lograr la asimilación de las palabras.

Por último, se incluye una tabla con los verbos regulares e irregulares más frecuentes, así como una clave de las actividades.

Aprende gramática y vocabulario puede utilizarse como material complementario para la clase o para el autoaprendizaje, ya que la inclusión de la clave de las actividades al final de los libros permitirá al estudiante comprobar su propio aprendizaje.

LAS AUTORAS

Contenido

Gramática

1. Pensaba que la amaba.
Pretérito indefinido / Pretérito imperfecto

Situaciones

- Usamos el pretérito indefinido para hablar de:

  a) Acciones puntuales y acabadas en el pasado.
  *Sergio **se rompió** una pierna la semana pasada.*

  b) Acciones que duraron un tiempo pero que han acabado. Normalmente hay un marcador temporal que indica la duración.
  ***Trabajó** en esa empresa más de diez años.*
  *Los tres primeros años de matrimonio **fueron** maravillosos.*
  *Durante mucho tiempo, Elena **fue** a visitar a sus padres todos los domingos.*

- Usamos el pretérito imperfecto para hablar de:

  a) Descripciones y hábitos en el pasado.
  *Los Martínez **eran** muy ricos y **veraneaban** normalmente en el extranjero.*

  b) Acciones en desarrollo en el pasado muchas veces interrumpidas por una acción puntual.
  *Sergio se rompió la pierna cuando **salía** de la oficina.*

  c) También se usa en oraciones dependientes de un verbo de "decir" en pasado (*declaró, afirmó*).
  *Ayer me encontré con Elena y me dijo que **estaba** harta de todo.*

- Pretérito imperfecto y pretérito indefinido:

  a) Con el pretérito indefinido informamos de un acontecimiento, mientras que con el pretérito imperfecto explicamos y describimos el contexto, las circunstancias en las que se produce la acción principal.
  *El sábado **estuvimos** en casa de nuestros amigos colombianos.*
  *El sábado **estábamos** en casa de nuestros amigos colombianos cuando vimos las malas noticias en la tele.*
  *Le **regalaron** un coche que **funcionaba** con electricidad.*

  b) En ocasiones, la diferencia entre ambos tiempos radica en que el pretérito indefinido indica que la acción se realizó, mientras que el pretérito imperfecto no da esa información.
  ***Tuvimos** que llevar a mi padre al hospital* (= lo llevamos).
  ***Teníamos** que llevar a mi padre al hospital* (= no se sabe si lo llevaron o no).

Ordena los acontecimientos y escribe el relato con ayuda de las imágenes.

empezar a llover	comprar uno
Laura y Víctor estar paseando	ver a un hombre que vender paraguas

Laura y Víctor estaban paseando cuando

Empezába llover per vena a un hombre que vender paraguas entonces compran uno.
compraron

Práctica

A Elige el verbo más adecuado.

1. A. ¿Qué tal la fiesta del sábado por la noche?

   B. Muy bien, *fue* / *era* un éxito total.

   pero ejemplo

2. Antes, las clases de Derecho internacional las *dio* / *daba* el profesor Zorrilla, pero ahora no.

3. El verano pasado *estuve* / *estaba* de vacaciones en Marbella y me lo *pasé* / *pasaba* muy bien. Todas las noches *íbamos* / *fuimos* a la discoteca.

4. A. ¿No fuiste al cine ayer?

   B. Sí, pero cuando *llegué* / *llegaba* / *vi* / *veía* que la película *era* / *fue* violenta, no *entré* / *entraba* en el cine.

5. El otro día me *encontré* / *encontraba* con Mariano cuando *iba* / *fue* a clase de Música.

6. A. ¿Qué tal las vacaciones?

   B. Vaya, regular. Yo *quería* / *quise* ir a la playa, pero a Eduardo le *decía* / *dijo* el médico que *necesitaba* / *necesitó* respirar aire puro y al final *fuimos* / *íbamos* a los Pirineos.

7. Como no *había* / *hubo* muchos cursos interesantes, al final *opté* / *optaba* por apuntarme a teatro.

8. El fin de semana pasado *había* / *hubo* un accidente terrible en la carretera de Andalucía.

9. Anoche, Luisa *estaba* / *estuvo* tan cansada que no podía hacer la cena y al final todos *comían* / *comieron* bocadillos.

10. Hasta que *empezó* / *empezaba* a trabajar como actor, *hizo* / *hacía* muchos trabajos: desde portero de discoteca a pastelero.

11. El día que *acudió* / *acudía* al médico, ya *fue* / *era* demasiado tarde, *estaba* / *estuvo* muy grave.

B Completa las frases con el verbo en pretérito indefinido o pretérito imperfecto.

1. La primera vez que *apareció* su nombre en los periódicos ________ cinco años. (aparecer, tener)

2. Rafael ________ andando por la calle cuando ________ una bola negra. Él ________ que ________ una pelota y le ________ una patada. La bomba ________ y le ________ heridas gravísimas. (ir, ver, creer, ser, dar, explotar, causar)

3. Yo ________ a mi marido en la oficina en la que ________ los dos. (conocer, trabajar)

4. La primera vez que ________ a una corrida de toros, el toro ________ al torero y eso me ________ una impresión tremenda. (ir-yo, tirar, producir)

5. Cuando Rosalía ________ a trabajar en el periódico ________ que ese ________ el trabajo de su vida. (entrar, comprender, ser)

6. Cuando nos ________ que el abuelo había muerto, mi marido ________ a la habitación de las niñas y les ________ la noticia. (decir-ellos, ir, dar)

7. Nosotros no ________ que ________ que terminar todo el trabajo antes del sábado. (saber, tener)

8. Como el jefe ________ muy enfadado, ________ que terminar el trabajo antes del sábado. (estar, tener-yo)

9. Antes de venir a España, mis amigos australianos ________ que todos los españoles ________ torear y bailar flamenco. (creer, saber)

10. Al volver anoche del cine ________ cómo mi vecino ________ la basura y la ________ en mitad de la acera, es un guarro. (ver-yo, sacar, tirar)

11. Antes, todos los domingos ________ a comer a un restaurante que ________ al lado de la marisquería, pero ya no podemos ir porque lo ________ el verano pasado. (ir-nosotros, haber, cerrar)

12. Cuando ________ por la calle Mayor ________ un joven y nos ________ dinero para el autobús. (venir-nosotros, acercarse, pedir)

C Completa la historia con el verbo entre paréntesis en la forma adecuada (pretérito imperfecto o pretérito indefinido).

El 14 de marzo de 2002 Roberto Balmes *conoció* (1) a Begoña Serrano. En esa época él (ser) _______ (2) conductor de autobús y (trabajar) _______ (3) todos los días de la semana, excepto los martes.

Begoña (tomar) _______ (4) el autobús todos los días sobre las ocho y media y (bajarse) _______ (5) en la última parada. Desde allí Roberto la (ver) _______ (6) andar todos los días hacia el Ministerio de Economía y Hacienda donde ella (trabajar) _______ (7) como informática.

Un martes de mayo, Roberto (decidir) _______ (8) levantarse un poco antes, (ir) _______ (9) a la floristería que (haber) _______ (10) frente a la parada del autobús en la que (bajarse) _______ (11) Begoña y (comprar) _______ (12) un ramo de flores que le (enviar) _______ (13) a su oficina. Cuando ella (llegar) _______ (14), encontró el ramo sobre la mesa con una pequeña tarjeta en la que (poner) _______ (15): "Desde el 14 de marzo no he podido olvidarte".

Al día siguiente, Begoña (llegar) _______ (16) al autobús más guapa y más sonriente que nunca, (saludar) _______ (17) al conductor como todos los días y (sentarse) _______ (18) en el mismo asiento de siempre.

Durante tres meses Roberto (comprar) _______ (19) ramos de flores todos los martes y se los (enviar) _______ (20), pero ella nunca le (decir) _______ (21) nada.

El primer jueves del mes de septiembre Begoña no (subir) _______ (22) al autobús. Roberto (pensar) _______ (23) que (estar) _______ (24) enferma y (esperar) _______ (25) pacientemente durante toda la semana hasta que (llegar) _______ (26) el martes siguiente. (Ir) _______ (27) al Ministerio y (preguntar) _______ (28) por ella, pero le (decir, ellos) _______ (29) que ya no (trabajar) _______ (30) allí y no (poder) _______ (31) darle más información. En ese momento Roberto (darse) _______ (32) cuenta de que no sabía nada más de ella y no podía buscarla en ningún otro sitio.

Un mes después Roberto (recibir) _______ (33) un sobre con una nota en la que alguien le (citar) _______ (34) en una cafetería. La nota no (llevar) _______ (35) firma, pero la última frase (ser) _______ (36): "Yo tampoco he podido olvidarte".

2. Estuve esperándote hasta las ocho.
Estuve / estaba / he estado + gerundio

Situaciones

1. *Estar* + gerundio

► La perífrasis *estar* + gerundio se utiliza en español para indicar acciones en desarrollo (en el pasado, presente o futuro).
Ayer ***estuve esperando*** *el autobús una hora.*
A. *¿Qué haces?* B. ***Estoy leyendo****.*
El lunes a las tres ***estaré comiendo*** *con mis padres.*

► *Estuve* / *he estado* + gerundio.
Se utilizan con los mismos marcadores temporales que el pretérito indefinido y el pretérito perfecto, pero añaden un matiz de duración a la acción. Expresan acciones acabadas.
El verano pasado ***estuve ayudando*** *a Roberto en sus investigaciones.*
El niño ***ha estado viendo*** *la tele toda la tarde.*

► *Estaba* + gerundio.
Indica una acción en desarrollo no acabada. Muchas veces es intercambiable con el pretérito imperfecto.
Cuando ***bajaba / estaba bajando*** *por las escaleras se cayó.*
No se puede utilizar en el sentido de habitualidad en el pasado.
Eugenia antes ***hacía*** / ~~***estaba haciendo***~~ *deporte, pero ahora no tiene tiempo.*

2. Verbos que no aceptan la forma perifrástica

► La perífrasis se utiliza preferentemente en verbos que indican actividades cotidianas que se pueden ver en su desarrollo, como *leer*, *hablar*, *cocinar*, *ver (la tele)*, *esperar*, *comer*, etcétera.

► No suele usarse la perífrasis:
a) Con los verbos *ser*, *estar*, *tener*, *poder*, *haber*, *ir*, *venir*.
b) Con verbos que expresan actividades mentales, como *saber*, *odiar*, *amar*.
c) Con verbos que describen percepciones/estados, más que acciones: *parecer*, *oler*.

■ Relaciona las frases con las imágenes:

1. *Eduardo salió de su casa a las siete.* a
2. *Cuando Virginia estaba saliendo de su casa la llamaron al móvil.* ______
3. *Eduardo y Virginia estuvieron saliendo juntos dos años antes de casarse.* ______

Práctica

A Completa las frases con el verbo más adecuado: pretérito imperfecto, pretérito indefinido, *estaba* + gerundio, *estuve* + gerundio.

1. El domingo, cuando ya estábamos llegando a casa, se nos ______ el coche. (llegar-nosotros, estropear)
2. ______ por teléfono cuando ______ para el trabajo. (llamar-ellos, salir-yo)
3. A. ¿Hasta qué hora ______ anoche de política? (hablar-vosotros)
   B. Hasta las cinco.
4. Cuando ______ 18 años, ______ todos los fines de semana a la discoteca. (tener-yo, ir)
5. El testigo ______ que el día del crimen no ______ ningún ruido porque ______ música clásica con los auriculares. (declarar, oír, escuchar)
6. Los chicos ______ cuando ya ______. (llegar, dormir-nosotros)
7. El día de Navidad ______ un tiempo estupendo y por eso ______ a la sierra a ver la nieve. (hacer, ir-nosotros)
8. Como ______ por teléfono constantemente, lo ______. (llamar, desconectar)

3. *Jorge ha ganado un premio.*
Pretérito perfecto

Situaciones

- Usamos el pretérito perfecto para hablar de:

  a) Acciones acabadas en un periodo de tiempo que no ha terminado, como *hoy, esta semana, esta mañana, estas vacaciones, este fin de semana, ya, todavía.*

  *¿Dónde **habéis estado** esta mañana? Os **he llamado** dos veces.*

  *Es que **hemos estado** en el banco, **hemos ido** a hablar con el director.*

  b) Acciones que han acabado muy recientemente.

  *¿Quién **ha llamado** por teléfono ahora mismo?*

  c) Experiencias vitales. Suelen ir acompañadas de marcadores como *una vez, nunca.*

  *Julio no **ha estado** nunca en el extranjero.*

  d) Eventos que han ocurrido, sin especificar el momento. Por tanto, se usa preferentemente en las preguntas o cuando se informa de una noticia, sin decir el marcador temporal.

  A. *¿Te **has enterado** de que **han encontrado** al asesino de la joven?*

  B. *¿Ah sí? ¿Quién es?*

  A. *Es su novio, lo detuvieron ayer por la tarde.*

Siempre + pretérito perfecto

- Con el adverbio *siempre* tenemos una estructura en la que la acción expresada por el verbo no ha terminado, sino que continúa en el presente.

  A. *¿Qué haces? ¿Estás tomando café?*

  B. *Claro, yo siempre **he tomado** café.* (y sigo tomándolo)

> **Nota:** estos usos se refieren al español de España. En algunas partes de España y en Hispanoamérica se utiliza preferentemente la forma del pretérito indefinido.

■ Relaciona:

1. *A. ¡Qué morena estás!*
   B. Sí, he estado de vacaciones en Denia. 
2. *¡He aprobado el carné de conducir!* ____
3. *Siempre ha sido muy estudioso.* ____
4. *Vaya, he perdido el monedero.* ____

¿Cómo es?

Pretérito perfecto		
yo	he	
tú	has	
él, ella, Vd.	ha	
nosotros, -as	hemos	+ participio
vosotros, -as	habéis	
ellos, ellas, Vds.	han	

Participios regulares
hablar → *habl**ado***
comer → *com**ido***
salir → *sal**ido***

Participios irregulares		
abrir → *abierto*	volver → *vuelto*	ver → *visto*
decir → *dicho*	escribir → *escrito*	romper → *roto*
hacer → *hecho*	poner → *puesto*	

Práctica

A Completa las frases con uno de los marcadores temporales del recuadro.

nunca (2)	todavía (2)	ya (3)	últimamente
alguna vez	~~ahora mismo~~	muchas veces	siempre

1. *Ahora mismo* ha llamado el carpintero y ha dicho que vendrá dentro de dos horas.
2. ______________ no he visto muchas películas de cine realmente interesantes.
3. ¿Has probado ______________ la comida tailandesa? Está buenísima.
4. Carlos, ¿______________ no has hecho los deberes?
5. Laura, hija, te he dicho ______________ que no te pongas esos pantalones rotos.
6. ¿Has terminado ______________ el trabajo de química?
7. ______________ ha querido reconocer que su secretario trabaja más que él.
8. ¿Has leído ______________ el libro que te presté?
9. ______________ han estado tan contentos como ahora.
10. El hijo menor de esa familia ______________ ha sido responsable e independiente.
11. A. ¿Está Óscar?
    B. No, ______________ no ha llegado del trabajo.
12. ¿______________ has terminado?, qué pronto.

B Elige la forma más adecuada.

1. Ayer *tuve* / *he tenido* un dolor de cabeza horrible.
2. Lo siento, Aurora, ayer *he roto / rompí* sin querer tu equipo de música nuevo.
3. Los pasajeros están cansados porque no *han dormido / durmieron* en toda la noche.
4. El jueves pasado el Real Madrid *ha jugado / jugó* contra el Murcia.
5. Este fin de semana no *hemos salido / salimos* al campo como otras veces.
6. Hasta ahora *hemos enviado / enviamos* información a más de 200 empresas.

7. Yo no *vi / he visto* nada igual antes.

8. A. ¿A qué hora *empezaron / han empezado* los fuegos artificiales?
   B. Hace media hora.

9. Cuando era niño *estuvo / ha estado* enfermo varias veces.

10. A. ¿*Has visto / Viste* al niño?
    B. Sí, hace un momento estaba en su habitación, jugando.

11. Pedro, ¡la niña *ha encontrado / encontró* un trabajo!

12. El día del incendio, los bomberos *llegaron / han llegado* a tiempo y *han apagado / apagaron* el fuego después de varias horas de trabajo.

13. Enrique siempre *ha sido / fue* amable con todo el mundo.

14. La pianista Rocío Sorolla *ha dado / dio* un concierto a beneficio de las víctimas del terremoto en Irán.

C Maribel se ha casado y se ha trasladado a vivir a otra ciudad. Completa el e-mail que ha escrito a su madre con los verbos en la forma adecuada (presente, pretérito perfecto, pretérito indefinido).

Mensaje nuevo

Enviar Chat Adjuntar Agenda Tipo de letra Colores Borrador

Para: conchita@correo.com

Cc:

Asunto: MUDANZA

Hola madre, ¿qué tal por ahí?
Nosotros estamos bien, aunque un poco liados. Llevamos aquí tres días y ya (hacer) ________ (1) muchas cosas: (encontrar) ________ (2) un piso, (comprar) ________ (3) algunos muebles, una cama, una mesa, cuatro sillas y algunas cosas para la cocina. Una compañera me (decir) ________ (4) que me va a traer unas cortinas. También (pintar) ________ (5) ya una habitación, pero todavía no (dormir) ________ (6) ninguna noche aquí, seguimos en el hotel. El piso (ser) ________ (7) pequeño y antiguo, pero (estar) ________ (8) cerca de nuestro trabajo. Y la ciudad (ser) ________ (9) preciosa. Ayer por la tarde (estar) ________ (10) paseando por un parque y por la noche (cenar) ________ (11) en un restaurante hindú, (pasar) ________ (12) muy bien.
Bueno, te escribiré pronto. Un abrazo de tu hija, Maribel.

4. *El guepardo es el mamífero más rápido.*
Comparativos y superlativos

Situaciones

1. Comparativos

► Los comparativos comparan dos realidades separadas:

a) Comparación adjetiva.
Madrid es ***más grande*** *que Sevilla.*
Roberto es ***menos hablador*** *que Luis.*
Esta televisión no es ***tan buena como*** *la otra.*

b) Comparación adverbial.
Celia estudia ***más que*** *Julia.*
Mi marido no gana ***tanto como*** *el tuyo.*

c) Comparación nominal.
En España hay ***más bares que*** *en otros países.*
Elena tiene ***menos amigos que*** *Lucía.*
Ellos tienen ***tanto tiempo libre como*** *yo.*
Yo no tengo ***tantas plantas como*** *tú.*

Comparativos irregulares

► Los comparativos de *bueno* ***(mejor)*** y *malo* ***(peor)*** tienen plural.
Las notas de Pedro son ***mejores que*** *las de María.*

► Los comparativos de *grande* ***(mayor)*** y *pequeño* ***(menor)*** se utilizan más en el sentido de "edad" que de "tamaño".
Julia es ***mayor que*** *su hermano Víctor, pero Celia es* ***menor que*** *su hermano Alberto.*

► Si se habla de tamaño, se prefiere *más grande* o *más pequeño/a*.
Esta aula es ***más grande que*** *aquella.*

► *Más / menos de...*:

a) Se usa delante de números u otras cantidades.
Julio se ha comprado este mes ***más de*** *veinte libros.*
Ayer tuvimos ***más de*** *cuarenta grados a la sombra.*

b) Delante de frases.
Ha comprado ***menos*** *bebida* ***de*** *la que necesitamos.*

2. Superlativos

► **Superlativo relativo.** Se expresa la superioridad o inferioridad de algo o alguien sobre todos los demás de su categoría.
Raúl es ***el mejor*** *jugador de su equipo.*
Rosalía es ***la*** *chica* ***menos estudiosa*** *de su clase.*

► Con el **superlativo absoluto** se intensifica una cualidad, pero no se compara. Se forma añadiendo *-ísimo* a la raíz del adjetivo o de algunos adverbios (*cerca*, *lejos*).
Los padres de Natalia son ***riquísimos****.*
Aquel monasterio queda ***lejísimos****, yo no voy.*

Simpático → *simpatiqu****ísimo****.* Amable → *amabil****ísimo****.*
Antiguo → *antiqu****ísimo****.* Vago → *vagu****ísimo****.*

■ Relaciona:

1. *El pez más pequeño es el gobio.* c
2. *El ave más grande es el avestruz.* ____
3. *El reptil más grande es el cocodrilo marino.* ____
4. *El animal más ruidoso es la ballena azul.* ____

¿Cómo es?

Comparativos y superlativos irregulares

Adjetivo	Adverbio	Comparativos	
		Singular	Plural
bueno	bien	(el / la) *mejor*	(los / las) *mejores*
malo	mal	(el / la) *peor*	(los / las) *peores*
pequeño		(el / la) *menor*	(los / las) *menores*
grande		(el / la) *mayor*	(los / las) *mayores*

Práctica

A Completa con las formas del recuadro.

mayor/es menor/es peor/es mejor/es tan tanto/a/os/as como que más menos

1. Ayer Roberto comió *más que* otros días y por la tarde estaba enfermo.
2. Mónica juega al tenis ________ su hermana Andrea, por eso gana más partidos.
3. Vamos a la otra clase, porque es ________ grande ________ esta.
4. Bailar es ________ divertido ________ andar por el campo, te ríes mucho con tu pareja.
5. A mí me gusta ________ salir con mis amigos ________ ir al fútbol porque con mis amigos me lo paso mejor.
6. Los tomates que has comprado hoy son ________ los de la semana pasada, alguno está para tirarlo.
7. Ricardo siempre saca ________ notas ________ su hermano porque estudia más.
8. Este año el crecimiento de la economía ha sido ________ el del año anterior, vamos a peor, según los economistas.
9. No creas a José Luis, no tiene ________ éxito con las chicas ________ él dice.
10. Yolanda toma ________ cafés al día ________ yo y por eso estamos tan nerviosas.
11. A. ¡Qué tal tu madre?
    B. Está ________ que ayer, mañana le darán el alta y volverá a casa.
12. Yo creo que aquí tienen ________ precios ________ en el otro centro comercial, que es más caro.
13. A Eduardo el trabajo de ahora no le gusta ________ el de antes porque no tiene ________ posibilidades de tomar decisiones. Ahora tiene que hacer lo que le dice su jefe.
14. Los españoles comen ________ pescado ________ el resto de los europeos porque tienen muchas costas.
15. La exposición de Barceló de este año es mucho ________ la del año pasado, se ve que ha evolucionado.
16. Elena es ________ su hermano Jaime, tiene 4 años menos.
17. Eduardo gana unos 300 euros ________ su amigo Lorenzo, por eso siempre le está pidiendo dinero.
18. ¡Qué bien!, la televisión nueva se ve mucho ________ la vieja.
19. La casa de la playa de David y Rosa es bastante ________ grande ________ la nuestra.
20. Los hijos de David y Rosa son ________ los míos, ya están estudiando en la universidad y los míos están en el instituto.

B Completa la conversación con elementos comparativos.

Jaime y Paloma se han ido a vivir a un chalé.

Paco: Hola, Jaime, ¿qué tal?

Jaime: Bien, aunque un poco estresado.

Paco: ¿Y eso?

Jaime: Es que nos hemos ido a vivir al campo.

Paco: Eso es estupendo. ¿No es ______ (1) tranquila la vida en el campo?

Jaime: Eso es lo que yo creía. Pero ahora resulta que me tengo que levantar ______ (2) temprano ______ (3) antes, además paso ______ (4) tiempo en el coche para ir al trabajo, a la compra...

Paco: Pero la casa es ______ (5) grande ______ (6) el piso, ¿no?

Jaime: Sí, la casa es enorme, con lo cual tenemos ______ (7) trabajo para limpiarla, gasta ______ (8) calefacción, electricidad, agua...

Paco: Pero la vida es ______ (9) sana, no hay ______ (10) contaminación ______ (11) en la ciudad.

Jaime: Eso creo, pero al final estamos ______ (12) tiempo en Madrid ______ (13) en la casa, porque nuestra familia vive aquí. Además, ahora vemos a los amigos ______ (14) antes porque les cuesta trabajo desplazarse hasta el campo.

Paco: Anímate, hombre, cuando te acostumbres ya verás como te gusta ______ (15) el campo ______ (16) la ciudad.

C Subraya la forma correcta.

1. El concierto duró más *de* / *que* lo que esperábamos.
2. Arturo no tiene tantas expectativas *como* / *que* tú piensas.
3. La película no fue tan buena *como* / *que* pensábamos.
4. Tiene menos dinero *que* / *de* sus hermanos.
5. Tiene una finca de más *de* / *que* 200 hectáreas.
6. Yo tengo mucha menos ropa *de* / *que* tú.

7. Ha comprado más *de / que* 50 botellas de bebida para la fiesta.
8. ¿Tú crees que Javier es rico? ¡Pero si no tiene más *de / que* deudas!
9. Dice que no va a la fiesta porque no tiene más *que / de* unos pantalones vaqueros.
10. Yo creo que este chico es más inteligente *de / que* lo que pensamos.
11. Nuestro equipo jugó mucho mejor *que / de* lo que esperábamos.
12. Cuando fuimos al norte de vacaciones tuvimos mejor tiempo *que / de* el año anterior.
13. Los Martínez tuvieron menos suerte *que / de* nosotros con el hotel.
14. A ellos la película no les gustó tanto *que / como* a nosotros.
15. La operación de corazón duró mucho menos tiempo *que / de* lo que nos dijeron.

D Escribe el superlativo correspondiente.

1. Caro *carísimo*
2. Simpático ______
3. Rico ______
4. Barato ______
5. Amable ______
6. Grande ______
7. Difícil ______
8. Bueno ______
9. Fácil ______
10. Antiguo ______
11. Poco ______
12. Viejo ______
13. Cerca ______
14. Vago ______
15. Joven ______

E Completa las frases con uno de los superlativos anteriores.

1. Profesor, no he podido hacer los problemas, son *dificilísimos*.
2. Mira estos zapatos, qué bonitos, y además son ______, me los voy a comprar.
3. A. A mí no me gusta Celia, es muy seria.
   B. ¡Qué va, si es ______!, siempre ayuda a todo el mundo que lo necesita.
4. A. ¿Vamos a jugar al fútbol?
   B. Hoy no puedo, he trabajado mucho y estoy ______.
5. A. ¿Tú crees que Natalia es una chica trabajadora?
   B. ¡Qué va!, Natalia no hace nada en todo el día, es ______.
6. A. ¡Qué buena está esta tarta! ¿Es muy difícil hacerla?
   B. ¡Qué va, es ______! Te voy a dar la receta.

7. Constancio se ha comprado una columna ______________ para el salón, creo que es del siglo XIV.

8. ¿Te has enterado? Nuestro amigo Pablo se ha casado con una chica ______________, tiene veinte años menos que él.

9. La profesora de alemán viene a clase andando porque vive ______________ de la escuela.

10. A mí me parece que el examen del viernes pasado fue ______________, ¿a ti no?

F Escribe frases como las del ejemplo con ayuda de los adjetivos del recuadro.

~~divertido~~	caro	barato	bonito	práctico

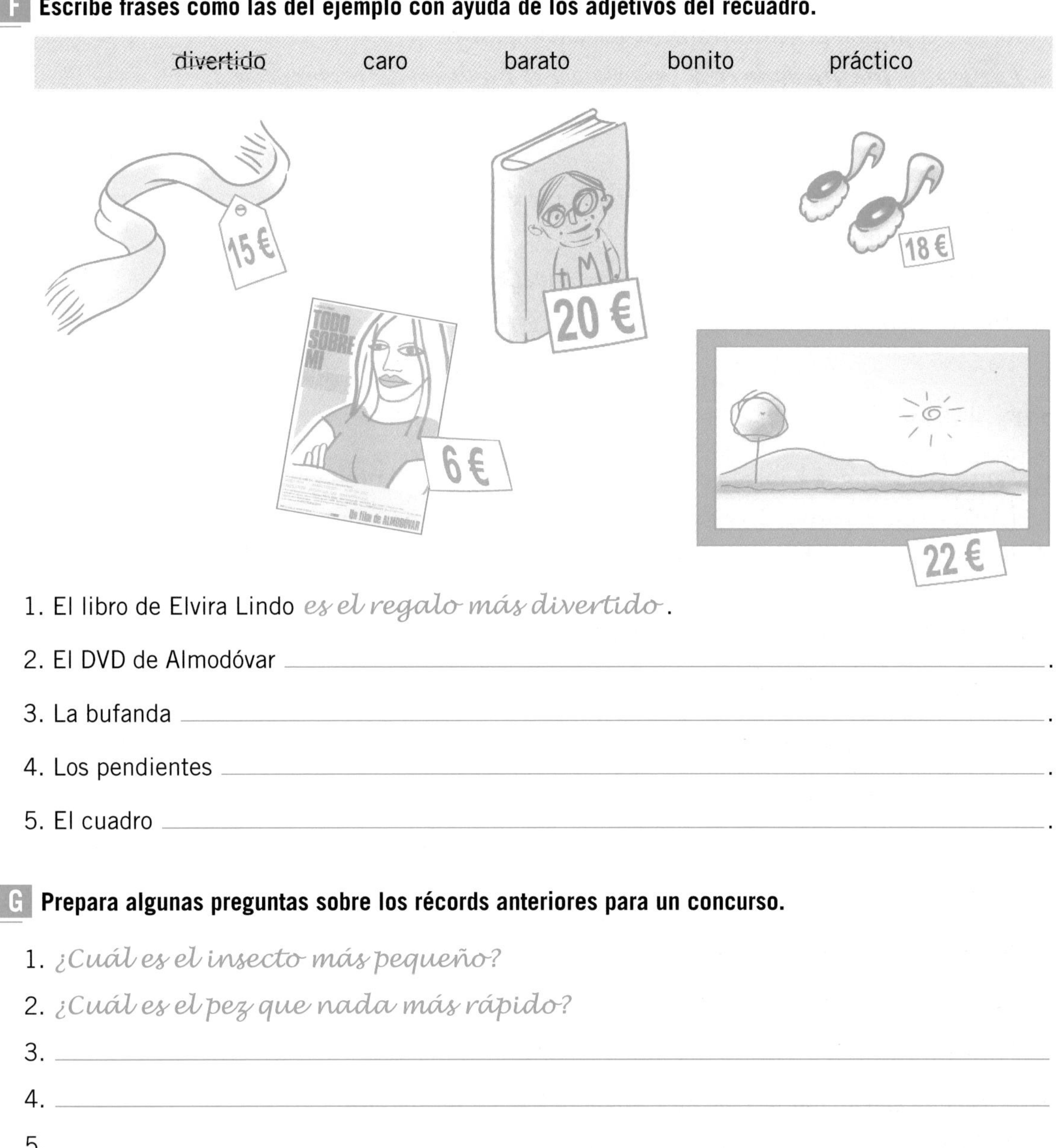

1. El libro de Elvira Lindo *es el regalo más divertido*.
2. El DVD de Almodóvar ______________.
3. La bufanda ______________.
4. Los pendientes ______________.
5. El cuadro ______________.

G Prepara algunas preguntas sobre los récords anteriores para un concurso.

1. *¿Cuál es el insecto más pequeño?*
2. *¿Cuál es el pez que nada más rápido?*
3. ______________
4. ______________
5. ______________

Gramática

5. *Este palacio se construyó en el siglo* XVI.
Expresión de la impersonalidad. Pasiva

Situaciones

1. La pasiva

- La voz *pasiva* se forma con el verbo *ser* en el tiempo correspondiente y el *participio*, que aparece en el mismo género y número del sujeto pasivo.
  Este palacio ***fue diseñado*** *en el siglo* XVI *por el arquitecto del rey Francisco I.*
  = *El arquitecto del rey Francisco I diseñó este palacio en el siglo* XVI.

- Esta forma de *pasiva* se utiliza especialmente en textos históricos y periodísticos pero no en la lengua hablada.
  Se cree que Francisco I y su mujer ***fueron envenenados****.*
  Ayer ***fue detenido*** *el empresario acusado de corrupción.*

2. Pasiva con *se*

- Tanto en la lengua hablada como escrita se utiliza frecuentemente la estructura *se* + verbo activo + sujeto pasivo. Utilizamos esta forma cuando no queremos decir quién es el sujeto real (agente). Puede ser porque no se conozca, porque no interese, o porque sea demasiado obvio.
  En España ***se hablan*** *cuatro lenguas.*
  Este palacio ***se construyó*** *en el siglo* XVI.
  (Este palacio fue construido en el siglo XVI*).*

Impersonales

- Otras formas de expresar impersonalidad:
  a) *Se* + verbo activo en tercera persona del singular.
  Se ve *que no está en condiciones de trabajar.*
  No ***se puede entrar*** *a la tienda por ahí.*

  b) Verbo en tercera persona del plural.
  He llamado al Seguro y me ***han dicho*** *que vendrán esta tarde.*
  Ayer ***detuvieron*** *al empresario acusado de corrupción.*

■ Relaciona:

1. *Por favor, ¿cómo se va a la catedral?* _____
2. *No se puede girar a la derecha.* _____
3. *Me han robado la cartera.* b
4. *La penicilina fue descubierta por Fleming.* _____

¿Cómo es?

Pasiva con el verbo *ser*	*El cuadro **fue vendido** por más de medio millón de euros.*
Pasiva con *se*	*Este año **se han vendido** más coches que el año pasado.*
Impersonal con *se*	*En España **se cena** a las diez.*
Verbo en tercera persona del plural	*A Juan le **han subido** el sueldo un cinco por ciento.*

Práctica

A Completa las frases con uno de los verbos del recuadro.

eran envenenados	fueron temidos	han sido descubiertos	ser dirigido	fue nombrado
fue encarcelado	ha sido reconstruida	ser trasladado	~~fue derrocado~~	

1. Ese Rey fue derrocado por los franceses en 1494.
2. Maquiavelo ________________ por conspiración y traición.
3. Antiguamente, muchos reyes ________________ por sus descendientes.

4. El material no puede ______________ en camiones debido a su peligrosidad.
5. Este año ______________ una parte de la muralla de Ávila.
6. Los Medici ______________ y admirados a la vez en Italia.
7. ______________ los restos de un mamut prehistórico.
8. Giovanni de Medici ______________ Papa en 1513 con el nombre de León X.
9. El nuevo aparato puede ______________ por control remoto.

B Completa con alguna de las formas impersonales (*se* + verbo en tercera persona del singular/plural, o verbo en plural).

1. Este año no me *han subido* el sueldo porque la empresa no va muy bien. (subir)
2. A Roberto ya le ______________ la cartera dos veces en el metro. (robar)
3. En la recepción me ______________ que ahora ______________ a arreglar la ducha. (decir, subir)
4. Todos los años ______________ que el paro ha bajado, pero yo tengo muchos amigos que no encuentran trabajo. (decir)
5. ______________ que en 2050 habrá una mayoría de la población con más de 50 años. (calcular)
6. Para poner en marcha el aparato, ______________ el botón verde. (apretar)
7. En la época de rebajas ______________ algunas cosas muy baratas, pero de mala calidad. (encontrar)
8. El arroz con leche ______________ con leche, no con agua. (hacer)
9. A Enrique López lo ______________ jefe de departamento comercial. (nombrar)
10. Para hacer tortilla de patatas, las patatas ______________ en rodajas no muy finas. (cortarse)
11. Este año ______________ más coches que el año pasado, así nos va con el tráfico y la contaminación. (vender)
12. ______________ que el tiempo va a cambiar y va a venir el frío otra vez. (decir)
13. Por favor, ¿sabe cómo ______________ a la catedral? (ir)
14. ______________ que el entrenador del Real Madrid ha dimitido pero no le ______________ la dimisión. (comentar, admitir)
15. En los países hispanoamericanos ______________ muchas fiestas al año. (celebrar)

C Ordena las frases.

1. conduce / se / España / derecha / la / En / por. *En España se conduce por la derecha.*
2. necesitan / resolver / más / delitos / Se / medios / para / los. ______________.

3. se / disco / oye / no / Este / bien. ______________________________.

4. periódicos / se / Ahora / antes / leen / más / que. ______________________________.

5. fumar / Aquí / se / no / puede. ______________________________.

6. han enviado / con / aviones / ayuda / los / refugiados / tres / Se / para. ______________________________.

7. ya / seda / Hace / hilaba / 300 millones / se / años / de. ______________________________.

D **A continuación damos la receta para preparar las aceitunas. Completa el texto con los verbos del recuadro en la forma *se* + verbo activo.**

soler	machacar	~~seleccionar~~	poder (2)	echar	servir	dejar

Aceitunas para comer

Ingredientes:

aceitunas verdes
ajos
orégano
pimentón
sal y vinagre

Preparación:

Primero *se seleccionan* (1) las mejores aceitunas. Tienen que estar verdes pero no muy duras. ______________ (2) con el aparato adecuado con el fin de que pierdan el sabor amargo. Si no tiene máquina, tiene que hacerles un par de cortes con un cuchillo. ______________ (3) en una olla o un jarro con agua y ______________ (4) en remojo durante una semana. Cada día hay que cambiar el agua de la olla. Después de una semana ya ______________ (5) añadir los condimentos: el pimentón, el vinagre, los ajos (machacados en el mortero) y la sal. Después de unas horas ya ______________ (6) comer. Normalmente en las casas particulares ______________ (7) en platos pequeños para acompañar a las comidas principales, pero también ______________ (8) comer de aperitivo en bares y restaurantes.

lestan mucho los ruidos.
s LE / verbos SE

Gra

Situaciones

- Llamamos verbos "LE" a aquellos que necesitan obligatoriamente un pronombre (*me*, *te*, *le*, *nos*, *os*, *les*) para funcionar en la lengua. Siguen el modelo del verbo GUSTAR.

A. *¿Qué **le pasa** a Óscar?, está muy callado.*
B. *Yo creo que no **le pasa** nada, es que es así.*

A. *¿A ti **te molesta** el humo de tabaco?*
B. *Sí, la verdad es que **me molesta** bastante.*

- Llamamos verbos "SE" a los que necesitan un pronombre reflexivo (*me*, *te*, *se*, *nos*, *os*, *se*) para funcionar.

*¿**Te has enterado**?, Ángel **se ha enamorado** de una compañera de trabajo.*
(enterarse) (enamorarse)

- Muchos verbos pueden funcionar con ambos esquemas. Unas veces el significado varía sustancialmente, pero otras no hay mucha variación.

*¿Has visto lo mal que **le queda** esa falda a Pepa?* (quedar bien / mal)
*Ayer yo salí a dar un paseo, pero mis padres **se quedaron** en casa.* (quedarse)

A. *Señora, su hijo es un buen alumno, en clase pregunta y **se interesa** por todo lo que explico.*
B. *¿Sí? Pues en casa no hace nada, no **le interesa** nada de lo que yo le digo.*

a

■ Completa con el pronombre y relaciona.

b c d

1. *A Juan* ______ *han despedido del trabajo porque siempre llegaba tarde.* ___d___
2. *Antes de irse a Brasil* ______ *despidió de todos sus compañeros.* ______
3. *A mis vecinos* ______ *divierten mucho las películas antiguas.* ______
4. *En este parque los niños* ______ *divierten un montón.* ______

¿Cómo es?

Verbos LE			Verbos SE		
encantar			**alegrarse**		
a mí	**me**		yo	**me**	alegro
a ti	**te**		tú	**te**	alegras
a él, ella, Vd.	**le**	encanta/n	él, ella, Vd.	**se**	alegra
a nosotros, -as	**nos**		nosotros, -as	**nos**	alegramos
a vosotros, -as	**os**		vosotros, -as	**os**	alegráis
a ellos, ellas, Vds.	**les**		ellos, ellas, Vds.	**se**	alegran

Verbos LE: caer bien / mal, molestar, importar, preocupar, encantar, alegrar, interesar, pasar, dar pena / lástima, sentar bien / mal, poner nervioso...

Verbos SE: alegrarse, enamorarse, interesarse, acercarse, enfadarse, deprimirse, pasarse, acordarse, aburrirse, divertirse, enterarse de, saludarse, despedirse, quedarse, darse cuenta de, divorciarse, defenderse, preocuparse, sentirse, molestarse, quejarse...

Práctica

A Elige el pronombre adecuado.

1. A Jacinto *se / le* impresionó ver a su padre en aquel estado.
2. Esta niña *se / le* pasa el día delante de la tele y no estudia nada.
3. ¿Qué *le / se* pasó a aquel novio tuyo de la universidad?
4. *Les / Se* da mucha pena trasladarse de barrio, pero no tienen más remedio que irse.
5. Creo que *se / les* molestaron mucho con lo que les dijiste de su hijo.
6. Nosotros no tenemos la culpa de que *le / se* enfade con todo el mundo.
7. Sus padres *se / le* alegraron mucho de verla otra vez.

8. Parece que ya no *se / le* acuerdan de cuando ellos eran jóvenes.
9. Si tiene un libro, ella no *le / se* aburre nunca.
10. *Les / Se* preocupa mucho su hijo pequeño porque no es un niño fácil.
11. A nuestros vecinos no *les / se* importan nada los asuntos de la comunidad.
12. *Le / Se* dio mucha pena no poder verte.
13. Cuando estuvieron en el pueblo de Lucía, *se / le* acercaron a visitarla.
14. Cuando se vieron la última vez ya no *se / le* saludaron porque estaban distanciados.
15. Algunas personas *se / le* divierten con cualquier cosa, siempre están felices. En cambio, a Mercedes todo *se / le* cae mal, *se / le* enfada con todo el mundo.

B Lee esta carta enviada a un periódico y complétala con el pronombre adecuado.

Yo también me quejo.

A usted no le (1) gusta el joven que escucha música en el metro. Usted ______ (2) queja del coche en doble fila. Usted odia el barrio donde vive. Usted ______ (3) queja del precio del transporte. A ustedes ______ (4) molestan los humos de los coches. A aquella señora ______ (5) parece mal la gente que canta en el metro. Y a aquella otra no ______ (6) gusta nada el fútbol. A aquellos señores ______ (7) parecen violentos los videojuegos, mientras estos ______ (8) quejan de los hospitales. A ti ______ (9) ponen nerviosa las películas violentas, pero tampoco ______ (10) gusta la programación del horario infantil.

Pues a mí no ______ (11) gustan ustedes. Todos ______ (12) parecen unos quejicas. Si a ustedes ______ (13) pasa algo, pues lo solucionan, pero no ______ (14) quejen más. ¿Creen ustedes que los políticos ______ (15) van a solucionar sus tontos problemas? No esperen que los de arriba muevan un dedo por ustedes.

Atentamente,

un lector habitual

C **A continuación presentamos una encuesta sobre satisfacción laboral que tiene como objeto detectar el estrés en el trabajo. Hemos omitido 13 pronombres (12 veces *me* y una vez *les*). Colócalos en su lugar correspondiente.**

ENCUESTA SOBRE SATISFACCIÓN LABORAL

A cada una de las frases debe responder con un número expresando la frecuencia con que tiene ese sentimiento.

NUNCA: 1; RARAMENTE: 2; ALGUNAS VECES: 3; MUCHAS VECES: 4; SIEMPRE: 5.

1. Siento defraudado en mi trabajo. *Me siento...* ____
2. Cuando termino mi jornada de trabajo siento agotado. ____
3. Cuando levanto por la mañana y enfrento a otro día de trabajo siento agotado. ____
4. Siento que he hecho más insensible con la gente. ____
5. Preocupa que mi trabajo ocupe mi tiempo libre. ____
6. Siento muy enérgico en mi trabajo. ____
7. Realmente no importa lo que les ocurre a las personas que tengo que atender. ____
8. Cansa trabajar en contacto directo con la gente. ____
9. Siento que estoy demasiado tiempo en mi trabajo. ____
10. Siento al límite de mis posibilidades. ____
11. Los clientes culpan de algunos de sus problemas. ____
12. Creo que a los demás no importa mi estado de ánimo. ____

7. El testigo se lo dijo a la policía.
Pronombres personales

Situaciones

1. Pronombres sujeto

► En español no se suelen emplear los pronombres sujeto. Únicamente se utilizan en aquellos casos en los que existe ambigüedad o cuando se quiere dar énfasis a la expresión.

A. *¿De dónde eres?*
B. *De Málaga.*

A. *¿De dónde sois?*
B. ***Yo** soy de Málaga, y **ella**, de Sevilla.*

2. Pronombres después de preposición

► Los pronombres *yo* y *tú* tienen formas distintas cuando van detrás de preposición: *mí* y *ti*.
*¿Esto es para **mí**?*

► Con la preposición *con* tenemos tres formas diferentes:
Con + yo → ***conmigo*** *Con + tú* → ***contigo*** *Con + sí* (mismo) → ***consigo***

► La forma del pronombre no cambia detrás de las siguientes preposiciones: *entre*, *hasta* (en el sentido de "incluso"), *según*, *excepto*, *salvo*.
***Según tú**, ¿qué podemos hacer ahora? / Esta comida es tan fácil que **hasta yo** puedo hacerla.*

3. Pronombres de objeto directo e indirecto

► Los pronombres personales generalmente van antes del verbo.
*Fernando **me** ha llamado por teléfono tres veces.*

► Cuando el verbo está en imperativo afirmativo van detrás y juntos. Con el imperativo negativo van antes.
*¿Tienes las llaves de casa? **Dámelas**, por favor. / Te voy a decir un secreto, pero no **se lo digas** a nadie.*

► Cuando el verbo está en infinitivo o gerundio pueden ir detrás de éstos o delante del verbo que los acompaña.
*Tengo un coche nuevo, ¿**lo** quieres ver? / ¿quieres ver**lo**? // **Lo** estuve viendo. / Estuve viéndo**lo**.*

► Los pronombres de objeto directo de 3.ª persona son *lo*, *la*, *los*, *las*. Sin embargo, podemos utilizar también *le*, *les* cuando el objeto directo se refiere a una persona masculina.
*¿Has visto a Fernando? / No, hoy no **lo/le** he visto.*

- Cuando en una frase tienen que aparecer los dos pronombres (O.D. y O.I.), primero va el indirecto y luego el directo.
  *¡Qué reloj tan bonito! ¿**Me*** (O. I.) ***lo*** (O.D.) *prestas?*

- Los pronombres de objeto indirecto *le* y *les* se convierten en *se* antes de un pronombre de objeto directo (**lo**; **la**; **los**; **las**).
  *¿Le has dado las llaves al portero? Sí, ya ~~**te**~~ (**se**) **las** he dado.*

- Los pronombres de objeto indirecto se repiten antes del verbo, aunque aparezca después el objeto indirecto al que se refieren.
  *¿**Le** has preguntado **al médico** cuándo vendrá otra vez?*

■ Completa con los pronombres.

A. *¡Qué pendientes tan bonitos! ¿Quién* ______ *ha regalado?*
B. *¿Te gustan?* ______ *regaló Jorge para mi cumpleaños.*

A. *¡Vaya móvil! ¿Cuándo* ______ *has comprado?*
B. ______ *ha traído mi padre de Brasil.*

¿Cómo es?

Sujeto	Objeto directo	Objeto indirecto	Con preposición
yo	me	me	mí (conmigo)
tú	te	te	ti (contigo)
usted	lo (le)	le (se)	usted (consigo)
él	lo (le)	le (se)	él
ella	la	le (se)	ella
nosotros, -as	nos	nos	nosotros, -as
vosotros, -as	os	os	vosotros, -as
ustedes	los (les)	les (se)	ustedes
ellos	los (les)	les (se)	ellos
ellas	las	les (se)	ellas

Práctica

A Sigue el modelo.

1. ¿Le has pedido los diccionarios a la bibliotecaria? *Sí, ya se los he pedido.*
2. ¿Le has dado el informe al jefe de mantenimiento? ______________________.
3. ¿Le has entregado la solicitud a la secretaria de Hacienda? ______________________.
4. ¿Le has recordado la reunión de presupuestos a Ricardo? ______________________.

5. ¿Les has enviado a todos los socios el informe anual? ______________________.
6. ¿Le han concedido el permiso de trabajo al conserje? ______________________.
7. ¿Quién te lo ha dicho? ______________________ Carmen.
8. ¿Tienes el carné de conducir? ¿Cuándo te lo han dado? ______________________.
9. ¿Ya conoces al jefe? ¿Quién te lo ha presentado? ______________________ Ramón.
10. ¿Os han traído ya las bebidas que habéis pedido? Sí ______________________.

B Sustituye lo subrayado por un pronombre.

1. Lucía regaló una corbata a su marido. *Lucía le regaló una corbata.*
2. Los padres llevaron a la niña al médico. ______________________.
3. El médico aconsejó a ella que se operara. ______________________.
4. Yo presté la novela a ti. ______________________.
5. Eduardo dijo a nosotros que vendría pronto. ______________________.
6. Los invitados arrojaron flores a los novios. ______________________.
7. El profesor preguntó a nosotros si sabíamos álgebra. ______________________.
8. ¿Dieron cava a vosotros en la fiesta? ______________________.
9. Su padre prohibió a sus hijos beber alcohol. ______________________.
10. El chico pidió disculpas a su compañera. ______________________.

C Completa las frases con los pronombres correspondientes.

1. La pelota es mía, nadie puede quitár*mela* .
2. Cuando llegamos, su madre salió a saludar_____ y a ofrecer_____ una merienda.
3. Roberto _____ ha dicho que _____ esperará a la salida de clase. (a nosotros)
4. He venido con un amigo nuevo, luego _____ _____ presento. (a ti)
5. Su historia es fascinante, tal vez un día _____ _____ cuente. (a vosotros)
6. Mi amiga Laura tenía una pena que _____ oprimía el pecho.
7. El conductor del autobús _____ vio (a ella) en la parada y _____ abrió la puerta.
8. El chico _____ invitó a cenar, luego _____ llevó a casa y _____ besó la mano al despedirse. (a ella)
9. Yo creo que él no quiere que tú _____ ayudes.
10. Para comprender_____ necesito saber qué _____ pasa. (a ti)
11. El guardián del zoo _____ pone la carne al león al lado de la puerta.
12. ¿Ya sabes lo de Mario?¿Quién _____ _____ ha contado?
13. La madre _____ ha dicho a sus hijos que no _____ preocupen por nada.
14. Cuando salieron de la discoteca, la policía _____ detuvo por conducir bebidos. (a ellos)
15. El testigo dice que _____ llamó para avisar_____ del incendio, pero ellos no estaban en casa.
16. La chica _____ pide a su novio que _____ abrace más fuerte, porque tiene miedo.
17. En el mercadillo _____ ofrecieron un cuadro por 300 euros. (a ellas)

D Transforma las frases en otras con *se + me / te / le / nos / os / les.*

1. Morir / una hija / a ella. *Se le murió una hija.*
2. Acabar / el trabajo / a él. ______________________.

3. Perder / un pendiente / a mí. ______________________.
4. Estropear / la calefacción / a ellos. ______________________.
5. Llenar / los ojos de lágrimas / a mí. ______________________.
6. Romper / el ordenador / a nosotros. ______________________.
7. Olvidarse / el móvil / en el coche / a él. ______________________.
8. Olvidar pagar / el recibo del agua / a ti. ______________________.

E En cada frase hay un error. Encuéntralo y corrígelo.

1. No se puede hablar *consigo.* *Contigo.*
2. ¿Este regalo es para me? ______________________.
3. ¿Sabes que Gloria se ha enamorado de tú? ______________________.
4. Si quieres, voy con tú a casa de Aurora. ______________________.
5. Según ti, ¿quién va a ganar las elecciones esta vez? ______________________.
6. No tienes que volver otra vez por me, yo iré sola. ______________________.
7. Yo creo que incluso mí puede aprender a conducir. ______________________.
8. Es un egoísta, sólo piensa en se mismo. ______________________.
9. Al marcharse se llevó sus pertenencias con él. ______________________.
10. Al volver en él mismo no sabía dónde se encontraba. ______________________.

F A continuación hay dos textos periodísticos donde hablan dos mujeres maltratadas por sus maridos. Completa con los pronombres.

A

Cuando ya estaba harta *le* (1) dije: "Si no vas a la terapia como voy ______ (2), para salir del agujero en el que ______ (3) has metido, ______ (4) dejo". Yo no pensaba hacer______ (5). ¿Adónde iba a ir sin trabajo, sin dinero, con tres hijos? Pero ______ (6) aceptó –todavía no ______ (7) ______ (8) creo–, y comenzó a ir al centro. Aterrorizado. Pero ______ (9) gustó la terapia. ______ (10) sigue pensando que tiene la razón, pero hay más diálogo entre ______ (11). Y ______ (12) he recuperado mi autoestima. Hago las cosas sin tener que pedir______ (13) permiso a cada paso. Y ______ (14) tiene que aceptar______ (15). Sí, estamos mejor.

B

Los hombres van a terapia porque ______ (1) obligan bajo la amenaza de que ______ (2) van a dejar. "Cuando yo ______ (3) di cuenta de que era una mujer maltratada intenté que cambiara, pero no ______ (4) dio por aludido. Al principio no ______ (5) pegaba, ______ (6) despreciaba. ______ (7) decía que yo no era nada, que no tenía estudios. Hasta que un día ______ (8) pegó. Y el niño ______ (9) vio todo. ______ (10) no sabía si denunciar______ (11), hasta que encontré un sitio donde ______ (12) ayudaron. Ahora tengo que aprender a confiar en ______ (13) misma y, mientras, que ______ (14) siga con la terapia. ______ (15) doy un plazo de dos años. Y si no funciona, ______ (16) dejo".

Adaptado de *El País Semanal*

8. *Ahora hasta los niños tienen móvil.*

Preposiciones (I): *a, de, desde, en, hacia, hasta*

Situaciones

► Se utiliza la preposición *a* para:

a) Indicar dirección, movimiento: *¿Vamos **a** la playa?*

b) Introducir el complemente directo de persona: *¿Has visto **a** Rosa?*

c) Introducir el complemento indirecto: *Le he pedido el dinero **a** Andrés.*

d) Indicar tiempo: *Llegaré **a** las cinco.*

e) Indicar lugar: *Siéntate **a** la derecha de Pepe.*

f) Con el verbo *estar* + una cantidad, se puede expresar:
- Precio: *Hoy los tomates están **a** 3 euros el kilo.*
- Fecha: *Hoy estamos **a** 25 de agosto.*
- Temperatura: *Estamos **a** 18 ºC.*
- Distancia: *Estamos **a** pocos kilómetros de Barcelona.*
- Velocidad: *Está loco, va **a** más de 200 km/h.*

► Utilizamos la preposición *de* para indicar:

a) Origen: *Este queso es **de** la Mancha.*

b) Tipo, materia, contenido: *Un reloj **de** oro. / Una bolsa **de** patatas.*

c) Posesión, autoría: *Este coche es **de** mi hermana. / Esta película es **de** Amenábar.*

d) "Tema", con verbos como *hablar, quejarse, discutir*: *Estuvimos toda la noche discutiendo **de** política.*

e) Describir: *Mi novia es aquella **de** la falda larga.*

► Se usa *desde* para indicar:

Origen en el tiempo y en el espacio, enfatizando la idea de movimiento:
***Desde** aquí se puede ver muy bien la procesión. / **Desde** aquel día no lo he visto más.*

► Se usa *en* para:

a) Indicar lugar: *Las llaves están **en** el bolsillo de mi chaqueta.*

b) Tiempo: *Aquí no hace frío **en** invierno. / Franco murió **en** 1975.*

c) Medio de transporte: *Elena viene a clase **en** metro.*

► Se usa *hacia* para indicar:

a) Movimiento, dirección: *Mucha gente se dirige **hacia** el lugar del incendio.*

b) Localización espacial o temporal aproximada: *Yo creo que mis abuelos se casaron **hacia** 1931.*

► Usamos *hasta* para indicar:

a) Término en el espacio y en el tiempo: *El ruido de la explosión llegó **hasta** aquí.*

b) Inclusión: *En esa tienda venden de todo, **hasta** paraguas.* (= incluso)

■ Relaciona y completa con la preposición.

1. *Mira, ese* ______ *barba y bigote es el profesor de filosofía.* ______
2. *Quiero un helado* de *fresa, por favor.* ______
3. *Ahora todo el mundo tiene un móvil,* ______ *los niños.* ______

¿Cómo es?

Expresiones con preposiciones
A: a mano, a tiros, a dieta, a oscuras, a cántaros (llover), (reír) a carcajadas, al pie de la letra, a corto / medio / largo plazo, a las tantas, al vapor / a la plancha / a la vasca, a pierna suelta, a favor.
De: de vez en cuando, de memoria, de verdad, de mal en peor, de uvas a peras, de primera mano.
En: en serio, en broma, en secreto, en contra, en menos que canta un gallo, en voz alta / baja.

Práctica

A Escribe la preposición *a* cuando sea necesario.

1. Conozco *a* un chico que estuvo en la cárcel por robar unas zapatillas deportivas.
2. Este autor les encanta ____ todos los jóvenes.
3. La policía está buscando ____ un hombre mayor, con el pelo gris, como autor del robo en el supermercado.
4. ¿Has visto ____ la doctora que nos vio ayer?
5. Este vecino es un antipático, no saluda ____ nadie.
6. Recuerda que tienes que regar ____ las plantas.
7. Envió ____ Carlos a hacer la compra.
8. ¿Has enviado ya ____ el paquete ____ tu madre?
9. Todos los padres quieren ____ sus hijos.
10. Llevamos dos horas esperando ____ tus padres.
11. Hace media hora que estoy esperando ____ el autobús.
12. Le regalé ____ el perro ____ un compañero de trabajo.
13. En mi empresa necesitan ____ un informático más.
14. Prefiero tener ____ un perro, antes que ____ un gato.
15. ¿____ alguien le parece bien lo que ha dicho nuestro presidente?
16. Está en la cárcel por matar ____ su mujer y ____ su amante.

B Subraya la preposición más adecuada.

1. Este vino es *de* / *desde* Ribera del Duero.
2. *De* / *Desde* mi balcón veo perfectamente los árboles del Retiro.
3. Mira, se ha caído el cuadro *de* / *desde* la pared.
4. Viven en este barrio *desde* / *de* 1980.
5. Todos los días viene andando *de* / *desde* la oficina hasta su casa.
6. Te llamo por teléfono *desde* / *de* el aeropuerto, acabo de llegar.
7. La farmacia está cerrada *de* / *desde* dos a cuatro del mediodía.
8. ¿*De* / *Desde* dónde es este bolso? Es precioso.
9. A. ¿*Desde* / *De* cuándo no has visto a Lorenzo?
   B. Pues no lo he visto *de* / *desde* que se casó.
10. Lleva buscando trabajo *desde* / *de* que terminó la universidad y no encuentra nada.

11. Laura trabaja *desde / de* las ocho de la mañana hasta las cinco de la tarde.
12. A mí esto del cine me ha gustado *desde / de* pequeño.
13. Gerardo sale con Olga *desde / de* el verano pasado.

C Completa con *hacia* o *hasta*.

1. Cuando el Papa empezó a hablar, todos dirigieron la mirada hacia él.
2. Cuando llegues al cruce, gira a la derecha, ________ el puente sobre el río.
3. Todo el mundo le pide autógrafos, ________ los taxistas.
4. Estuvieron bailando y cantando ________ las tres de la madrugada.
5. A. ¿A qué hora terminó la fiesta?
   B. No estoy seguro, ________ las tres o las cuatro de la madrugada.
6. No pueden casarse ________ abril porque no tienen los papeles necesarios.
7. Adiós, ________ mañana.
8. A. ¿Cuándo llegaron tus abuelos a México?
   B. Yo creo que fue ________ 1939, cuando acabó la guerra.
9. El camino ________ la felicidad no existe, tienes que hacerlo tú.
10. Este tren va en dirección ________ Sevilla, pero para en Córdoba.
11. Los alpinistas no pudieron llegar ________ el final a causa del mal tiempo.
12. Toda la clase se apuntó a la excursión, ________ Rosa, que nunca sale.

D Completa con *a*, *de*, *del*, *en*, *desde*, *hasta*, *hacia*.

1. A mí no me gustaría vivir en una casa con los suelos ________ mármol.
2. Jorge, tráeme un vaso ________ agua, por favor.
3. A. ¿Cuál es el chico que te gusta: el alto o el bajo?
   B. Aquel, el ________ la barba. El otro es su amigo Pedro.
4. Por fin he conocido ________ la chica ________ abrigo rojo, se llama Luisa.
5. No ha salido de casa ________ que murió su marido, está deprimida.
6. A. Hola, ¿________ qué estáis hablando?
   B. ________ todo un poco: ________ política, ________ amor, ________ la vida.
7. A. ¿Cuándo te vas ________ vacaciones?
   B. ________ agosto, ¿y tú?

8. A. ¿________ cuántos kilómetros estamos de Salamanca?
   B. ________ 216.
9. A. Todavía no ha salido Lucía ________ la oficina?
   B. Sí, acaba ________ salir hace cinco minutos.
10. Vicente es portero ________ equipo ________ fútbol ________ supermercado ________ su barrio.
11. A. ¿Adónde vais ________ ir ________ vacaciones este año?
    B. Pues queremos hacer el Camino ________ Santiago ________ bicicleta.
12. Ayer cuando llegué ________ casa ________ Roberto estaban hablando ________ problema que tiene con sus hijos.
13. A. ¿Qué le pasa ________ María?
    B. Que está enfadada con su hermana.
14. A. ¿Te has enterado ________ que se ha muerto el padre de Aurora?
    B. No, no lo sabía.
15. Ya te he dicho varias veces que estamos hartos ________ verte ________ el bar.
16. A. ¿Cuándo has llegado?
    B. Hace una hora. He venido ________ el tren ________ las dos.
17. A. ¿Cómo quedamos?
    B. Te espero ________ la puerta ________ cine ________ las siete.

E Elige la expresión adecuada.

1. No te enfades con Enrique. Aquello que te dijo de tu ropa fue <u>en broma</u> / *en secreto.*
2. Pedro va *de mal en peor / de vez en cuando*, ahora ya ni estudia, ni trabaja, ni sale de casa.
3. El médico le ha recomendado que coma la carne y el pescado *a la vasca / a la plancha*, para no engordar.
4. El escritor Camilo Pérez escribe todas sus obras *al pie de la letra / a mano.*
5. A. ¿Todavía no está hecha la comida?
   B. No, pero yo preparo una sopa y unos huevos *en menos que canta un gallo / en voz alta.*
6. Para que este pastel te salga bien, tienes que seguir las instrucciones *a mano / al pie de la letra*, porque es muy complicado.
7. A. ¿Qué pasó anoche, cómo acabó la reunión?
   B. No lo sé, yo me fui a las nueve a mi casa, pero creo que acabó *a largo plazo / a las tantas.*
8. Los que estén *a dieta / a favor* de la propuesta, que levanten la mano.

9. No salgas ahora a la calle, está lloviendo *de vez en cuando / a cántaros.*

10. A. ¿Tú vas mucho al teatro?

    B. ¡Qué va!, sólo *de vez en cuando / a largo plazo.*

F Completa la agenda con las preposiciones que hemos omitido.

en   a   de   por   con   sobre

AGENDA

CONCIERTOS

POP. A (1) las 20.00 horas ______ (2) hoy, la cantante Sara Mielgo ofrecerá un recital ______ (3) la sala Búho Real. El precio ______ (4) la entrada es ______ (5) 3 euros.

JAZZ. La artista Concha Buika ofrecerá temas de afro-jazz-flamenco ______ (6) la sala Galileo Galilei ______ (7) las 21.30 horas. La entrada ______ (8) la taquilla cuesta 15 euros.

CONFERENCIAS

ACOGIDA FAMILIAR. La Asociación ______ (9) Familias ______ (10) Acogida dará una charla ______ (11) *La acogida familiar.* Será ______ (12) las 19.30 horas ______ (13) el centro cultural Príncipe ______ (14) Asturias.

Historia. En el centro cultural La Remonta se ofrecerá hoy ______ (15) las 19.00 horas ______ (16) esta tarde una ponencia ______ (17) el título "______ (18) alcázar de los Austrias ______ (19) palacio de los Borbones".

QUIJOTE. José Fernández Sánchez, alcalde ______ (20) Alcázar de San Juan, ofrecerá esta tarde una ponencia titulada "Alcázar ______ (21) San Juan, la locura ______ (22) Don Quijote". Será ______ (23) las 19.30 horas ______ (24) la Casa ______ (25) Castilla-La Mancha.

DURERO. ______ (26) el salón de actos ______ (27) Ministerio ______ (28) Sanidad y Consumo, José Manuel Matilla dará una conferencia ______ (29) el tema: "Durero. Obras maestras ______ (30) La Albertina". Será ______ (31) las 19.30 horas ______ (32) esta tarde.

CUENTOS. ______ (33) 18.00 ______ (34) 24.00 horas, ______ (35) la sala Zanzíbar habrá un maratón ______ (36) cuentos. Las historias serán narradas ______ (37) mujeres y tratan ______ (38) temas relacionados ______ (39) ellas.

9. *Muchas gracias por todo.*
Preposiciones (II): *por, para*

Situaciones

► Se utiliza la preposición *por*:

a) Para indicar razón, causa:
Se puso peor ***por*** *no hacer caso al médico. Muchas gracias* ***por*** *todo. Luchó y murió* ***por*** *sus ideas.*

b) Tiempo:
Las farmacias abren ***por*** *la mañana y por la tarde.*
A Susana la operaron ***por*** *Navidad, más o menos.* (Tiempo aproximado)

c) Delante del complemento agente de construcciones pasivas:
El Tribunal está constituido ***por*** *cinco miembros del Colegio de Abogados.*

d) Medio:
Mándame las fotos ***por*** *correo electrónico.*

e) Precio:
Compre dos vaqueros ***por*** *el precio de uno.*

f) Lugar:
Ernesto es periodista y ha viajado ***por*** *todo el mundo.*
El autobús 32 no pasa ***por*** *la Castellana, va* ***por*** *la Puerta de Toledo.*

► Se usa la preposición *para*:

a) Para indicar finalidad, objetivo:
Hemos venido ***para*** *trabajar, no* ***para*** *charlar.*
Queremos reservar una mesa ***para*** *cuatro personas, por favor.*

b) Dirección:
Tranquilízate, ya vamos ***para*** *tu casa.*

c) Tiempo:
Volveremos a casa ***para*** *Navidades. No te preocupes, tendré la comida preparada* ***para*** *las dos.*

d) Utilidad:
Este champú es muy bueno ***para*** *la caspa.*

► *Por mí, para mí.*

a) *Por mí,* antes de una opinión, equivale a "me da igual".
Por mí*, que hagan lo que quieran, yo no pienso cambiar mi manera de pensar.*

b) Con *para mí* el hablante pretende matizar la opinión que viene a continuación y presentarla como algo subjetivo.
Para mí *que Lola y Pepe tienen un negocio entre manos, se les ve muy unidos.*

■ Completa con la preposición adecuada.

1. *Adiós y gracias ____ todo.*

2. *Se ha equivocado de tren, este va ____ Valencia, no ____ Barcelona.*

3. *A mí me gustaría viajar ____ todo el mundo.*

4. *Paula ha dejado el trabajo ____ dedicarse ____ cuidar ____ sus padres.*

¿Cómo es?

Verbos con preposiciones

A	De	En	Por
adelantarse a	acordarse de	quedar en	acabar por
invitar a	alegrarse de	consistir en	empezar por
llevar a	arrepentirse de	empeñarse en	luchar por
obligar a	quejarse de	insistir en	decidirse por
comenzar a	olvidarse de	interesarse en	optar por
decidirse a	enamorarse de	soñar en	disculparse por
negarse a	tratar de	tardar en	
acostumbrarse a	avergonzarse de	confiar en	
atreverse a	hartarse de		
comprometerse a	desconfiar de		
dedicarse a	encargarse de		
disponerse a			
limitarse a			
oponerse a			
renunciar a			

Práctica

A Completa las frases con *por* o *para*:

1. Ya hemos terminado, no nos queda nada por hacer.
2. Están aquí ____ conversar sobre sus proyectos.

3. Tenemos que ponernos de acuerdo ______ llegar a una conclusión.
4. Al final de la reunión, cada uno se fue ______ su lado.
5. Mario y Gerardo están unidos ______ su amor al teatro.
6. Me costó trabajo entrar, y cuando ______ fin entré, no había nadie.
7. Los dos llegaron a la misma conclusión ______ casualidad.
8. Lleva a tu mascota al veterinario ______ que le haga una revisión.
9. Recuerde contratar un seguro ______ evitar posibles imprevistos.
10. Lo han despedido ______ no cumplir las normas.
11. Lo metieron en la cárcel ______ intentar sobornar a un policía.
12. A. ¿Qué sabes de Marta?
    B. No mucho, la vi ______ la calle hace un mes y estaba bien.
13. La primera pieza será interpretada al piano ______ Luisa Rodero.
14. Tengo tanto trabajo que no sé ______ dónde empezar.
15. Dicen que el nuevo edificio estará terminado ______ finales del año próximo.
16. El Barcelona ha ganado al Real Madrid ______ dos a cero.
17. Este cuchillo es ______ partir la carne.
18. No pudieron llegar al final ______ culpa de la nieve.
19. No te comas la tarta, es ______ el cumpleaños de David.
20. La farmacia está cerrada ______ vacaciones.
21. Tenemos que comprar otra bicicleta nueva ______ las vacaciones.
22. Ten cuidado, no vayas ______ ahí, que es peligroso.

B Subraya la preposición correspondiente.

1. Carmen dice que ha llegado *para / a* pagar seis euros *por / para* un kilo de tomates.
2. A. Mamá, ¿cuándo llegamos a casa? B. Tranquilo, ya falta poco *de / para* llegar.
3. El Presidente ha viajado a París *sin / de* su Ministro de Exteriores.
4. Mañana habrá en la escuela una conferencia *sobre / de* "La traducción y sus problemas".
5. Unas rocas han caído *sobre / desde* el Santuario y lo han destruido.
6. Los precios de las frutas y verduras varían mucho *según / desde* la temporada.
7. A. ¿*Por / para* qué lloras? B. Lloro *por / de* alegría: Juan ya está completamente curado.
8. Dora, aléjate *a / de* ese hombre, no te conviene nada.
9. La madre ha renunciado *de / a* la custodia *de / en* sus hijos *para / por* falta de medios.
10. Olga, no te empeñes *para / en* educar a Pablo, es imposible.
11. A mi marido, su jefe le obliga *para / a* hacer horas extraordinarias.
12. No llores más, confía *en / para* mí, ya verás como todo se arregla.

13. No te olvides *para / de* llamar *por / en* teléfono a la abuela.
14. Los vecinos del barrio se oponen *a / contra* la construcción de la cárcel.
15. Al final, hemos optado *por / con* ir a París *por / en* avión porque es más rápido.

C Completa las preguntas con las preposiciones que hemos omitido.

1. A. ¿En qué has quedado con Jaime? B. ______ vernos esta tarde a las siete.
2. A. ¿______ qué estás harto? B. ______ trabajar en esta empresa.
3. ¿______ qué consiste el nuevo plan de renovación?
4. ¿______ qué sueñas cuando estás despierto?
5. ¿______ qué te avergüenzas? Tú no tienes la culpa de nada.
6. ¿______ qué se dedica el novio de Nieves?
7. ¿______ qué me comprometo si firmo este contrato?
8. ¿______ qué trata la última novela de Javier Marías?
9. ¿______ quién desconfías?
10. ¿______ qué te arrepientes? Tú has hecho lo que debías.
11. ¿______ qué se quejan ahora los consumidores?
12. ¿______ qué me invitas por tu cumpleaños?

D Completa las siguientes noticias periodísticas con las preposiciones correspondientes.

La policía ha detenido a (1) tres personas acusadas ______ (2) vender electrodomésticos robados ______ (3) Barcelona.

Unas 200 personas se concentraron ayer ______ (4) la plaza Mayor ______ (5) protestar ______ (6) la subida ______ (7) los transportes públicos.

El precio ______ (8) la vivienda ha subido ______ (9) la capital un 52% ______ (10) el año 2000, ______ (11) un estudio ______ (12) Instituto ______ (13) la Vivienda.

El Ministro ______ (14) Sanidad dice que se necesitan, ______ (15) lo menos, 2.500 camas hospitalarias más.

EL PRESIDENTE ______ (16) BANCO ______ (17) ESPAÑA DIMITE ______ (18) EL ASUNTO ______ (19) LA FALSIFICACIÓN ______ (20) DINERO.

10. *Es muy rico, sin embargo, no es feliz.*
Conectores discursivos

Situaciones

Presentamos aquí algunos elementos lingüísticos que nos sirven para conectar y organizar las ideas cuando hablamos o escribimos un texto.

1. Conectores aditivos

- Utilizamos la conjunción *y* para unir tanto palabras como frases. Pero también podemos utilizar otros conectores como *además* e *incluso*.
  Tengo que trabajar en la oficina ocho horas y, ***además****, cuando llego a casa tengo que planchar, hacer la comida, pasar la aspiradora…*
  A la fiesta acudió gente del cine, la radio, la tele e ***incluso*** *del mundo de la política.*

2. Conectores consecutivos

- Presentan una idea como consecuencia de la anterior. El más utilizado en la lengua hablada es *por eso*.
  Llovió bastante en primavera, ***por eso*** *ahora el jardín está precioso.*

- En contextos escritos y hablados más formales se usa preferentemente *por tanto*. También tiene el matiz de presentar la idea como una consecuencia natural.
  El escritor nació en 1948, tiene, ***por tanto****, sesenta años.*

  Estos conectores suelen aparecer entre pausas (comas).

3. Conectores contraargumentativos

- Introducen una idea de contraste con la información anterior.
  A Roberto le gusta mucho el tenis, su mujer, ***en cambio****, prefiere la natación.*

- Con el conector *por el contrario / al contrario*, la idea de contraste entre los argumentos aparece más clara.
  Yo no dudo de su buena fe, ***al contrario****, creo que es totalmente sincero en sus afirmaciones.*

- Con *sin embargo* y *no obstante* introducimos un argumento que se opone al anterior, pero no lo anula.

Está prohibido usar el diccionario en el examen. ***No obstante****, si uno tiene una duda en el significado de una palabra puede preguntársela al profesor.*
Vivió muchos años en el extranjero. ***Sin embargo****, nunca olvidó los olores y el paisaje de su pueblo natal.*

► Con *aunque* y *a pesar de* contrastamos dos ideas dentro de la misma oración (ver tema 30).
A pesar de *tener una pierna lesionada, Ronaldo marcó dos goles.*

4. Conectores causales

► Para presentar la causa utilizamos *porque*, *como*, *a causa de*.
Venía morena ***porque*** *había estado en la playa. /* ***Como*** *había estado en la playa, venía morena.*
Los precios han subido mucho ***a causa de*** *la subida del petróleo.*

► Observa que la oración que introduce la causa con el conector *como* va siempre antes de la principal.

■ Une las cuatro ideas con los conectores *por eso*, *como*, *aunque*, *sin embargo*.

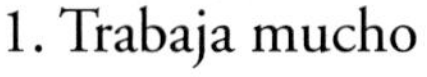

1. Trabaja mucho   a) gana mucho
2. Trabaja poco   b) gana poco

1. Trabaja mucho, sin embargo gana poco.

Práctica

A Subraya el conector más adecuado. A veces los dos son adecuados.

1. Rafael ha suspendido cinco asignaturas, por eso / *porque* sus padres están tan disgustados con él.
2. *Aunque / Como* hizo mal tiempo, nos lo pasamos muy bien.
3. *Por eso / Como* trabaja tanto, Jaime no puede asistir a clase regularmente.
4. Yo creo que todavía no han llegado *porque / por eso* no se oye nada.
5. Estaba enferma, *por eso / como* no salí de casa el fin de semana.
6. Nunca conocerás bien a una persona, *aunque / porque* vivas con ella veinte años.
7. *Como / Porque* era muy tarde, acompañé a Carmen en mi coche.
8. No encontramos ningún restaurante abierto *porque / por eso* ya era muy tarde.
9. El año pasado hubo muchos accidentes, *porque / por eso* las autoridades han tomado medidas especiales.
10. *Aunque / Como* tú ya eres adulto, tu padre sabe mejor lo que te conviene.
11. Todavía no ha llegado el recibo de la luz *aunque / por eso* no puedo decirte cuánto te corresponde pagar.
12. No tiene tiempo para sus hijos *porque / como* trabaja demasiado.

B Completa las frases con el conector adecuado: *incluso, además, sin embargo, por tanto, en cambio.* En tres frases hay más de una posibilidad.

1. El acusado no sabe conducir, por tanto, él no pudo ser el autor del robo del camión.
2. Todos encontraron el examen muy difícil, ____________ Laura, que es la más lista.
3. Mi hermano normalmente saca buenas notas. ____________, nunca está satisfecho.
4. Mis padres emigraron a Suiza, ____________ yo también soy un emigrante.
5. No lo entiendo, a Joaquín todo el mundo le saluda y le sonríe, ____________ a mí ni siquiera me dan los buenos días.
6. Este coche te conviene, es pequeño, tiene aire acondicionado y, ____________, no es nada caro.
7. Mi hija mayor es responsable y tranquila, ____________ la pequeña no para, es un torbellino.
8. Los críticos opinan que esta película es estupenda. ____________ a mí no me ha gustado nada.
9. Ese director de cine nunca escribió sus memorias, ____________ lo que dice su biógrafo es una serie de aproximaciones.

10. Estoy muy cansada, ____________ te acompañaré a comprarte los zapatos.
11. Mi madre siempre apoyó a mi padre, ____________ cuando éste no tenía razón.
12. Todos los partidos políticos acudieron al acto, ____________ el del gobierno.
13. Es un caradura, ____________ de no pagar su parte de la cena, me ha pedido dinero para un taxi.
14. Esta película de Amenábar me ha gustado, ____________, la anterior no me gustó nada.
15. Le han regalado un móvil, una máquina de fotos y ____________ una cámara de vídeo último modelo.
16. Este libro se vende poco, ____________ vamos a sacar sólo unos pocos ejemplares.
17. Él nos ha metido en este lío y, ____________, él tiene que sacarnos.
18. El piso es grande, tiene tres dormitorios, dos cuartos de baño, y ____________ tiene aire acondicionado.

C Une las ideas con un conector apropiado. En cada caso hay más de una posibilidad.

1. No puede practicar ningún deporte. Ha dejado la natación.
   Como no puede practicar ningún deporte, ha dejado la natación.
   Ha dejado la natación porque no puede practicar ningún deporte.
   No puede practicar ningún deporte, por eso ha dejado la natación.
2. Los fines de semana está cansada de estudiar. Sale con sus amigos.
   ____
3. El médico le ha prohibido comer grasas. Come pan con mantequilla.
   ____
4. Me acuesto tarde. Me levanto temprano.
   ____
5. Dice que no necesita a los demás. Vive solo.
   ____
6. Trabaja mucho. Gana poco.
   ____
7. Estaba enfermo. Fue a trabajar.
   ____

8. He llegado tarde. Hay mucho tráfico.

____

9. Ha suspendido los exámenes. Estudia mucho.

____

10. Este libro me ha gustado mucho. El otro no me gustó nada.

____

D Completa las cartas del consultorio psicológico con los conectores del recuadro.

sin embargo
por eso
porque (2)
como
incluso
aunque

Mensaje nuevo

Enviar Chat Adjuntar Agenda Tipo de letra Colores Borrador

Para: cartas@consultoriopsicologico.com

Cc:

Asunto: CONSULTA

Soy un hombre de 23 años que trabaja en una empresa de publicidad. Mi jefa es una mujer encantadora, de 35 años.
Le escribo *porque* (1) no sé qué hacer. El caso es que me he enamorado locamente de mi jefa, y creo que ella también de mí. ________ (2) yo le he asegurado que mi amor es sincero, ella no confía en mí, y no me acepta, ________ (3) le he pedido que se case conmigo. ________ (4), ella no quiere ni oír hablar del tema ________ (5) dice que soy demasiado joven. ________ (6) el tiempo pasa y mi pasión va en aumento, le he jurado que no puedo vivir sin ella, que estoy dispuesto a todo, ________ (7), a dejar el trabajo si es necesario. En fin, ¿qué me aconseja?

Atentamente: un enamorado.

por el contrario | por eso | como | porque | además (2) | a causa de

Mensaje nuevo

Enviar Chat Adjuntar Agenda Tipo de letra Colores Borrador

Para: cartas@consultoriopsicologico.com

Cc:

Asunto: QUERIDO DOCTOR

Soy una mujer casada y con dos hijos adolescentes de 14 y 16 años. *Además* (1), trabajo en una boutique y mi trabajo termina a las ocho de la tarde. ______ (2) mi marido es funcionario (su horario es de 8 a 3), él se encarga de la casa, la comida y, en general, del cuidado de los hijos. El problema es que mi marido siempre ha sido muy permisivo en la educación de los hijos ______ (3) dice que los niños tienen que aprender a madurar en libertad. ______ (4), yo pienso que los niños necesitan directrices claras para saber lo que deben hacer en cada momento, sobre todo de pequeños. ______ (5) esta diferencia de opinión pasamos mucho tiempo discutiendo y, mientras, los niños no estudian, no tienen hábitos regulares, se pasan el día delante de la tele o del móvil y ______ (6) no nos hacen caso, no escuchan lo que les decimos. ______ (7) me he decidido a escribirle: ¿qué puedo hacer? ¿Intento cambiar la situación o simplemente cojo una maleta y los dejo a los tres?

Cordialmente:
una mujer desesperada.

11. *Habla correctamente cuatro idiomas.*
Los adverbios

Situaciones

- Los adverbios se usan para modificar al verbo, a un adjetivo o a otro adverbio. Cuando acompañan al verbo describen el modo, el tiempo, el lugar o la cantidad de la acción.
  *Espero que el tren llegue **pronto**, tengo mucha prisa. / Tu bolso pesa **mucho**, ¿qué llevas **dentro**?*

- Muchos adverbios de modo se forman añadiendo ***-mente*** a un adjetivo:
  *Vístete **rápidamente**, vamos a llegar tarde. / Su hermano habla tres idiomas **correctamente**.*

- Hay numerosas expresiones adverbiales que expresan lugar o tiempo: *a continuación, a veces, algunas veces, de vez en cuando, nunca más, de repente, ahora mismo, hacia delante, hacia atrás, por debajo, en otra parte,* etcétera.
  A. *¿Vais al cine todas las semanas?*
  B. *No, sólo vamos **de vez en cuando** porque a Juan no le gusta mucho.*
  *Estaban a 30 metros de la meta, y, **de repente**, el caballo comenzó a andar **hacia atrás**.*

- Tenemos también expresiones o frases que pueden funcionar como adverbios de modo: lavar *a mano*, escribir *a máquina*, cocinar *a fuego lento*, saber *de memoria*, etc.

■ Completa las frases con estos adverbios:

~~profundamente~~ despacio pronto
inmediatamente / ahora mismo

1. *La niña está* profundamente *dormida.*

2. *¡Carlitos, ven* ______________*!*

3. *No te preocupes, mamá, llegaremos* ____________.

4. *Hable más* ____________, *por favor, no entiendo.*

¿Cómo es?

Formación de adverbios	
rápido → rápida**mente**	correcto → correcta**mente**
fácil → fácil**mente**	constante → constante**mente**
Tanto si el adjetivo es masculino como femenino, añadimos *-mente* a la forma femenina.	

Clasificación según el significado

Tiempo	Modo	Lugar	Cantidad
ahora - luego	bien - mal	aquí - allí	mucho - poco - algo
pronto - tarde	despacio - deprisa	dentro - fuera	todo - nada - bastante
ya - todavía	así	abajo - arriba	demasiado - muy
nunca - siempre	adverbios en *-mente*	cerca - lejos	suficiente - casi
antes - después		delante - detrás	más - menos
ayer - mañana - anoche		en frente	
		debajo - encima	
		en alguna parte	
		en otra parte	

Práctica

A Relaciona.

1. Bien → c)
2. Dentro
3. Abajo
4. Delante
5. Todo

a) Detrás
b) Fuera
c) Mal
d) Nada
e) Arriba

6. Mucho
7. Deprisa
8. Pronto
9. Antes
10. Debajo

f) Encima
g) Poco
h) Después
i) Despacio
j) Tarde

B Completa con adverbios de la actividad anterior.

1. Este ejercicio no está *bien*, tiene muchos errores.
2. Coge las llaves, están ____________ de la mesa.
3. A. ¿Has hecho ya la comida?
   B. No, todavía es ____________.
4. ¡Vamos, salgan ____________, hay un incendio!

5. A. ¿Qué es lo que más te gusta de París?
   B. __________, es una ciudad preciosa.
6. A. ¡Cómo se nota que he engordado! __________ todo me quedaba bien pero ahora...
   B. Eso te pasa porque comes __________ y no haces __________ de ejercicio.

C Completa las frases con los adverbios derivados de estos adjetivos.

completo ~~constante~~ perfecto rápido libre normal económico inmediato último

1. Mi vecina es muy pesada, *constantemente* repite lo mismo.
2. No me gusta cómo trabaja el nuevo empleado, lo hace todo muy __________ pero sin ningún orden.
3. No me grites, te oigo __________.
4. He cambiado de opinión sobre mi jefe, es una excelente persona, ahora me doy cuenta de que estaba __________ equivocada.
5. A. ¿Ha llegado ya el Sr. Ruiz?
   B. Vino hace un momento, dejó este paquete e __________ después se marcho.
6. En una democracia, los ciudadanos votan __________.
7. A. ¿Qué tal está Jaime desde que perdió el trabajo?
   B. Pues __________ está mucho mejor, tiene más confianza en sí mismo.
   A. ¿Pero está bien __________?
   B. Sí, de momento no tiene problemas de dinero, llevaba años ahorrando.
8. A. ¡Mira, es Carlos, el vecino de arriba! Vamos, escóndete, no quiero que nos vea.
   B. Yo __________ no hago cosas así, pero en este caso tienes razón, es demasiado pesado.

D Completa con estas expresiones.

~~a mano~~	en serio	a medias	nunca más	de memoria
de repente	en confianza	a la fuerza	a tiempo	en el acto

1. A. ¿Quién ha escrito esta carta?
   B. Yo no, nunca escribo *a mano*, siempre uso el ordenador.
2. A. Mira, Jaime, como no te des prisa, no vamos a llegar __________ a la cena.
   B. Estoy planchando el traje, ¿qué quieres, que lo deje __________?
   A. Tú sabrás, pero te lo digo __________. Como no estés listo dentro de media hora yo me voy.

3. A. Niños, ¿habéis aprendido ya la tabla del 7?
   B. Sí, mamá, la sabemos ______________.

4. A. ¿Sabes que a María la ha dejado su novio?
   B. ¿Cómo? Pero si estaban fenomenal.
   A. Sí, fue ______________, nadie se lo esperaba. El mismo día de su cumpleaños.
   B. Si me hace eso a mí, no le miro a la cara ______________ en mi vida.

5. A. ¿Sabes si Juan le ha pagado a Mario lo que le debe?
   B. Te lo digo ______________, no se lo cuentes a nadie. No quería pagarle y Juan le amenazó con denunciarle.
   A. ¿Sí? ¿Y qué hizo Mario?
   B. Le dio el dinero inmediatamente.
   A. No me lo puedo creer.
   B. Sí, sí, le pagó ______________.
   A. Claro, pero lo hizo ______________, si no le amenaza, seguro que no se lo devuelve.

E **Mira los dibujos y relaciona con las expresiones de abajo.**

a *b* *c* *d* *e* *f*

1. Cerrar herméticamente. *a*
2. Dormir profundamente. ____
3. Prohibir terminantemente. ____
4. Hablar alto. ____
5. Enamorarse locamente. ____
6. Jugar sucio. ____

'o en tu lugar no haría eso.
Uso del condicional para dar consejos

Situaciones

► Para hacer sugerencias o dar consejos utilizamos frecuentemente:

a) La estructura *yo en tu lugar* o *yo que tú (si yo fuera tú)* + verbo en forma condicional.

A. *Estoy muy constipado, me siento fatal.* B. ***Yo que tú*** *iría al médico.*
A. *¿Me queda bien esta corbata?* B. *No me gusta mucho,* ***yo en tu lugar*** *me pondría otra.*

b) El verbo *deber* en forma condicional.
Deberías *ir al médico, tienes muy mala cara.*

■ Completa con los verbos del recuadro.

~~quedaría~~	alquilaría	cogería

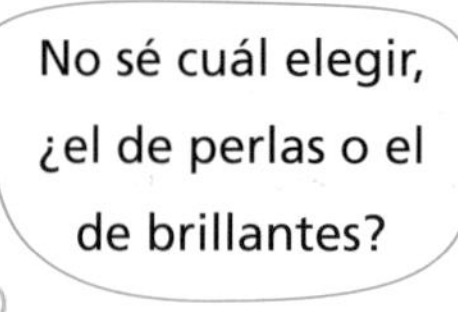

¿Cómo es?

Verbos regulares		
Hablar	**Comer**	**Escribir**
hablar **-ía**	comer **-ía**	escribir **-ía**
hablar **-ías**	comer **-ías**	escribir **-ías**
hablar **-ía**	comer **-ía**	escribir **-ía**
hablar **-íamos**	comer **-íamos**	escribir **-íamos**
hablar **-íais**	comer **-íais**	escribir **-íais**
hablar **-ían**	comer **-ían**	escribir **-ían**

Verbos irregulares					
Querer	**Saber**	**Poner**	**Tener**	**Decir**	**Haber**
querr **-ía**	sabr **-ía**	pondr **-ía**	tendr **-ía**	dir **-ía**	habr **-ía**
querr **-ías**	sabr **-ías**	pondr **-ías**	tendr **-ías**	dir **-ías**	habr **-ías**
querr **-ía**	sabr **-ía**	pondr **-ía**	tendr **-ía**	dir **-ía**	habr **-ía**
querr **-íamos**	sabr **-íamos**	pondr **-íamos**	tendr **-íamos**	dir **-íamos**	habr **-íamos**
querr **-íais**	sabr **-íais**	pondr **-íais**	tendr **-íais**	dir **-íais**	habr **-íais**
querr **-ían**	sabr **-ían**	pondr **-ían**	tendr **-ían**	dir **-ían**	habr **-ían**

poder (podr **-ía**) **salir** (saldr **-ía**) **valer** (valdr **-ía**) **venir** (vendr **-ía**)

Los verbos que son irregulares en futuro también lo son en condicional:

Infinitivo		**Futuro**		**Condicional**
tener	→	tendré	→	tendría
salir	→	saldré	→	saldría

Práctica

lo mismo

A **Completa la tabla.**

futuro	condicional	futuro	condicional
1. querrás	querrías	9. vendremos	
2. podrán	podrían	10. pondrán	
3. comeréis	comeríais	11. será	
4. haremos	haríamos	12. iréis	
5. saldré	saldría	13. pedirás	
6. valdra	valdría	14. veréis	
7. estarás	estarías	15.	dirían
8. habré	habría	16. seguirá	

B Completa el crucigrama.

Horizontales:

1. Querer, yo.
2. Poder, nosotros.
3. Hacer, ustedes.
4. Salir, él.
5. Tener, vosotros.
6. Ser, vosotros.

Verticales:

1. Venir, usted.
2. Poner, tu.
3. Haber, ellos.
4. Valer, vosotros.
5. Decir, tú.
6. Ir, yo.

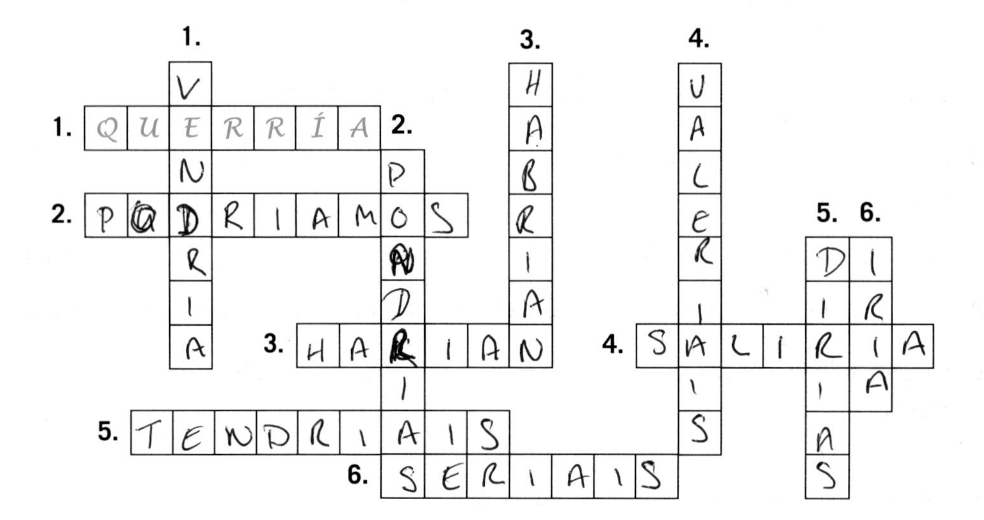

C Relaciona.

1. No sé si cortarme el pelo o dejármelo largo, ¿qué te parece?
2. Tengo que hacer un viaje largo pero no sé si el coche está en condiciones.
3. Me duelen los ojos de estar tanto tiempo trabajando en el ordenador.
4. No sé qué hacer este verano, ¿voy otra vez a la playa o hago un viaje al extranjero?
5. Me gusta el chico nuevo, es muy guapo.

a) Deberías llevarlo al taller.

b) Yo en tu lugar me lo cortaría, te favorece más.

c) Yo que tú iría al Caribe, así tienes las dos cosas.

d) Pues yo que tú le pediría el teléfono.

e) Deberías apagarlo y salir a dar un paseo.

D Completa estos consejos con los verbos del recuadro.

ir	~~comprar~~	pedir	trabajar	consultar	tomarse	apuntarse

1. A. Necesito comprarme un aparato de aire acondicionado, en mi casa hace un calor horroroso en verano.

   B. Pues yo que tú lo *compraría* ahora, en invierno son más baratos.

   A. Sí, pero no sé que marca comprar.

   B. El vecino del 3.º trabaja en una tienda de electrodomésticos, yo que tú le __________ consejo a él.

2. A. Estoy fatal, llevo más de una semana sin dormir, no sé qué hacer.

   B. Seguro que es estrés, deberías __________ menos y __________ una infusión relajante antes de ir a la cama.

   C. Lo que pasa es que no haces nada de ejercicio, yo que tú __________ a un gimnasio.

   A. Hace un mes que voy a un gimnasio y que intento trabajar menos, pero sigo durmiendo mal.

   B. El insomnio es un problema serio, yo __________ al médico y lo __________ con él.

E Escribe los consejos que darías a estas personas.

1. A. Tengo que cambiarme de piso, pero no sé si alquilar uno pequeño en el centro o uno más grande en las afueras.

   B. __________.

2. A. ¿Qué hago en mi cumpleaños, invito a los amigos a mi casa o los llevo a un restaurante?

   B. __________.

3. A. Es el bautizo de mi sobrina y no sé qué regalarle.

   B. __________.

4. A. Soy un desastre, nunca llego a tiempo a ningún sitio y además se me acumula el trabajo.

   B. __________.

5. A. En octubre empezaré a estudiar medicina, pero ahora no sé qué hacer, no sé si buscar un trabajo para el verano o irme a Inglaterra un par de meses a perfeccionar mi inglés.

   B. __________.

13. Quizá esté enferma.

Expresión de la probabilidad con *quizá(s)* y *a lo mejor*

Situaciones

► Para expresar probabilidad o hipótesis utilizamos partículas como *quizá(s)*, *a lo mejor*, etc.

A. *¿Sabéis por qué no ha venido hoy Xuan Than a clase?*

B. *No sé,* ***quizá*** *esté enferma.*

C. ***A lo mejor*** *ha salido más tarde del trabajo.*

► Con ***quizá*** podemos conjugar el verbo en **indicativo o subjuntivo**:

a) Si la acción se refiere al presente se puede usar el presente de indicativo o el de subjuntivo.

A. *¿Qué le pasa a tu hermano? ¿Por qué no quiere venir con nosotros?*

B. *No sé, quizá* ***está / esté*** *enfadado.*

b) Si la acción se refiere al pasado se puede usar el pretérito perfecto de subjuntivo o cualquier tiempo de pasado de indicativo.

A. *¿Qué ha hecho Joaquín esta mañana, ha estado en su despacho?*

B. *No, el despacho estaba cerrado, quizá* ***haya ido / ha ido*** *a la reunión con los sindicatos.*

c) Si la acción se refiere al futuro se utiliza preferentemente el presente de subjuntivo.

A. *¿Se ha marchado ya el Sr. Domínguez?*

B. *Sí, pero quizá* ***vuelva*** *esta tarde, ¿quiere dejarle algún recado?*

d) Es frecuente usar la forma *quizás* + *debería* para dar consejos de forma indirecta.

A. *No sé qué me pasa, estoy triste y no tengo ganas de nada.*

B. ***Quizás deberías*** *consultar al médico.*

► Con ***a lo mejor*** sólo podemos usar **indicativo**, pero no futuro, aunque la acción se refiera a ese tiempo:

A. *¿Dónde vas a pasar la Navidad?*

B. *A lo mejor* ***voy*** *con David a Pirineos, queremos hacer un curso de esquí.*

■ Completa con los verbos del recuadro.

quiere
dejaste
esté

1. *Me ha llamado Paula, a lo mejor* quiere *invitarme a salir.*
2. A. *Luis siempre llega tarde, yo no le espero más.*
   B. *Ten paciencia, quizá* __________ *en un atasco.*
3. A. *No sé dónde he puesto las gafas.*
   B. *A lo mejor te las* __________ *ayer en el trabajo.*

Práctica

A Subraya el verbo adecuado (a veces son posibles las dos opciones).

HORÓSCOPO

ARIES: Quizá hoy (tienes / tengas)(1) que gastar más dinero del habitual. Ten cuidado, no es uno de tus días de suerte.

TAURO: Tendrás suerte en el amor, a lo mejor (conoces / conocerás)(2) a alguien interesante y te (enamoras / enamorarás)(3) rápidamente. Procura tener los ojos abiertos.

GÉMINIS: Ten cuidado con los accidentes, quizá no (deberías / debas)(4) salir hoy de casa. Un buen libro y un poco de descanso no te vendrán nada mal.

CÁNCER: Quizá (saliste / salgas)(5) ayer más de la cuenta y (bebiste / bebas)(6) demasiado, por eso te encuentras hoy tan mal. Será mejor que te quedes en casa y descanses.

LEO: Estarás muy ocupado con tu trabajo y a lo mejor te (estresas / estreses)(7) más de lo normal. No te preocupes, ya llegará el fin de semana y quizá entonces (conseguiste / consigas)(8) descansar. No desesperes.

B Completa con el verbo en la forma adecuada.

VIRGO: Tendrás ganas de salir, de bailar, de conocer gente y todo te saldrá bien. A lo mejor (recibir) ________(1) una gran sorpresa de alguien inesperado.

LIBRA: Estás en un gran momento, tendrás ganas de hacer muchas cosas. Quizá (conseguir) ________(2) algo que llevas buscando mucho tiempo.

ESCORPIO: Cuidado con las palabras que dices. Quizá hace poco (ofender) ________(3) a alguien sin darte cuenta y a lo mejor (venir) ________(4) en este momento a reprochártelo.

SAGITARIO: Quizá (deber) deberías(5) descansar un poco más, trabajas demasiado. Si puedes, tómate el día libre, a lo mejor así (dormir) ________(6) mejor esta noche.

CAPRICORNIO: No deberías ser tan frío con los sentimientos de los demás. Quizá (deber) ________(7) escuchar un poco más a las personas que están a tu alrededor.

ACUARIO: En días anteriores has tenido problemas con un compañero del trabajo, quizá (tratarse) ________(8) sólo de un malentendido. Hoy podrás reconciliarte con él, a lo mejor (sorprenderte) ________(9).

PISCIS: Eres demasiado bueno por naturaleza pero a veces te gustaría actuar de otro modo. Quizá (tener) ________(10) hoy la oportunidad de hacerlo pero ten cuidado, no debes herir a los demás.

Gramática

14. Paula es una chica muy abierta.
Ser y estar

Situaciones

- Se usa el verbo *ser* para:

  a) Identificar, definir y describir.
  *Esos **son** mis padres. / Mohammed **es** musulmán. / Su casa **es** grande y luminosa.*

  b) Hablar del tiempo.
  *Hoy **es** jueves. / Vámonos, ya **son** más de las tres.*

  c) Localizar temporal o espacialmente acontecimientos.
  *La conferencia **será** en el salón de actos. / La manifestación **es** el domingo que viene.*

- Se usa el verbo *estar* para:

  a) Hablar de la posición o del lugar de personas o de objetos.
  *El coche **está** en el garaje. / ¿Quién **es** ese que está de pie?*

  b) Expresar estados de ánimo.
  *Nuria **está** muy contenta. / Parece que Carlos **está** enfadado.*

  c) Expresar estados de las cosas.
  *Tu habitación **está** muy desordenada. / Esa falda **está** sucia.*

Ser / estar

- Algunos adjetivos cambian de significado si se utilizan con *ser* o *estar*.
  *¿Hasta qué hora **está abierta** la tienda?*
  *Paula me cae fenomenal, **es** simpática, tolerante y muy **abierta*** (sociable, extrovertida).

- Podemos usar *ser* o *estar* indistintamente con adjetivos como *soltero*, *casado*, *divorciado* y *viudo*.
  *¿Tu hermana Carmen **es** / **está** soltera?*
  *Mi vecina de enfrente **es** / **está** viuda.*

■ Completa con el verbo *ser* o *estar* en el tiempo adecuado.

¿Te gustan mis botas nuevas? *Son* de piel.

Me encantan, ¿________ muy caras?

¿________ tu hermano?

No, no ha venido.

¿________ tu hermano?

No, pero se parece mucho, ¿verdad?

¿________ libre?

Por fin ________ libre.

¡________ muy rico!

¿No sabes que a Juan le tocó la lotería y ahora ________ muy rico?

¿Cómo es?

Adjetivos con ser y estar
Ser: feliz, desgraciado, inocente, culpable, lógico, importante, necesario, egoísta, inteligente, optimista, mentiroso, romántico, idealista, útil, fiel, honrado, famoso, público, privado, gratuito.
Estar: bien, mal, contento, animado, dormido, de buen/mal humor, harto, preocupado, lleno, vacío, enamorado, embarazada, muerto, loco, enfermo, preso, prohibido.
Ser / estar: abierto, cerrado, agarrado, orgulloso, delicado, consciente, aburrido, atento, cansado, despierto, interesado, listo, bueno, malo, molesto, negro, rico, verde, maduro, libre, nuevo, viejo.

Práctica

A Subraya la opción correcta (en una de las oraciones son posibles las dos opciones).

1. Vístete ya, Javier, (*es* / *está*) muy tarde.
2. ¿Por qué te enciendes un cigarro, no ves que (*es* / *está*) prohibido?
3. A. ¿A qué hora (*es* / *está*) la cena?
   B. A las diez, no te preocupes, todavía (*es* / *está*) pronto.
4. A. ¿Dónde (*es* / *está*) tu coche, María?
   B. En el garaje, como (*es* / *está*) nuevo nunca lo aparco en la calle.
5. A. ¿Quieres que te acompañe al médico?
   B. No, cariño, no (*es* / *está*) necesario.
6. A. ¿Qué le pasa a tu mujer?
   B. (*Es* / *Está*) preocupada porque su madre no (*es* / *está*) bien de salud.
7. A. ¿Conoces al niño de Ana?
   B. Sí, (*es* / *está*) muy guapo y (*es* / *está*) muy alto para tener sólo tres años.
8. A. ¿Quién (*es* / *está*) ese chico de la tele?
   B. (*Es* / *está*) un cantante muy famoso.
9. Seguro que en este restaurante se come muy mal porque (*es* / *está*) vacío.

10. Cuéntale a tu madre la verdad, (*es* / *está*) importante que lo sepa.
11. A. ¿Sabes dónde (*es* / *está*) la reunión?
    B. Sí, (*es* / *está*) en la sala de profesores, que (*es* / *está*) en la segunda planta.
12. Desde que tiene novia, Iñaki (*es* / *está*) mucho más animado.
13. Toma, Carlitos, ponte los zapatos, no quiero que (*seas* / *estés*) descalzo.
14. Ricardo tiene tres hijos, la mayor (*es* / *está*) casada y los dos pequeños (*son* / *están*) solteros.

B Completa con el verbo *ser* o *estar* en el tiempo adecuado.

1. A. ¿Qué tal está tu padre?
   B. Pues *está* muy delicado de salud, ya tiene 94 años.
2. No metas esa blusa en la lavadora, ______ muy delicada, mejor lávala a mano.
3. Los aparatos de aire acondicionado antiguos ______ muy molestos porque hacían mucho ruido.
4. No sé qué le pasa a Pablo, parece que ______ molesto conmigo, apenas me dirige la palabra.
5. No creo que Rosa haya pagado los cafés, ______ muy agarrada. Hace años que la conozco y todavía no me ha invitado nunca.
6. No tomes todavía el café, ______ demasiado caliente.
7. ¿Quieres un zumo de naranja? ______ muy bueno para el constipado.
8. ¡Me encantan estos bombones, ______ muy buenos!
9. A. ¿Qué tal ______ tu abuelo?
   B. Ahora ______ bien, ya ha salido del hospital.
10. No podemos coger todavía los tomates del huerto porque no ______ maduros.
11. Creo que Lucía ______ muy madura para tener sólo 14 años.
12. Este coche no arranca, cada día ______ peor.
13. Cómprate este abrigo, ______ mejor que el negro aunque sea más caro.
14. A. ¿Qué te pasa, ______ cansado?
    B. No, ______ aburrido, ¿por qué no salimos a dar un paseo?
15. Este artículo dice que los niños de ahora ______ más listos que los de antes, aprenden las cosas más rápidamente, ______ más despiertos.
16. Vamos niños, ¿______ listos para empezar el dictado?
17. A. ¿Las niñas ______ despiertas?
    B. No, hace un rato que se durmieron.
18. A. ¿Le gustaría comprar un coche deportivo?
    B. No, gracias, no ______ interesado.

19. A. No me cae nada bien el novio de tu hija, ________ muy orgulloso y siempre está hablando de vuestro dinero, ¿no crees que ________ un poco interesado?
    B. Yo pienso lo mismo, con lo atento y educado que ________ el que tenía antes, ¿te acuerdas?
    A. Pues sí, y además ________ rico.
20. Mi hija es la directora de *marketing* más joven de la empresa, ________ muy orgulloso de ella.
21. A. Gabriel, sal a la pizarra y termina el problema de matemáticas.
    B. Lo siento, no ________ atento, ¿qué problema?
22. Este ejercicio no ________ bien hecho, repítelo.
23. En algunos países no ________ bien visto que la gente se bese en público.
24. No vayas ahora al banco, ya ________ cerrado.
25. Inés ________ muy buena estudiante pero no tiene muchas amigas, ________ bastante cerrada.
26. Pueden pasar a la habitación a ver a su madre, ya ________ consciente. La operación ha ido muy bien.
27. No quiero que vayas en la moto con ese chico, ________ un inconsciente y cualquier día va a tener un accidente.

C Relaciona.

1. Ser de → e) Picasso.
2. Estar de

a) compras.
b) viaje.
c) madera.
d) vacaciones.
e) Picasso.
f) espaldas.
g) buen / mal humor.
h) risa.
i) rodillas.

D Completa con *ser / ser de* o *estar / estar de*.

1. Estos sillones no *son de* cuero, ________ plástico.
2. A. ¿Qué tal ________ tu hijo?
   B. Estupendamente. Ahora ________ viaje en el extranjero.
3. A. ¿De quién ________ el móvil que está sonando? ¿________ tuyo, Juan?
   B. No, ________ Carlos, el mío ________ éste.

4. A. ¿__________ Maribel?
   B. No, ha salido, __________ compras con su hermana.
5. A. ¿Te gusta mi blusa nueva?
   B. Mucho, __________ seda, ¿no?
6. A. ¿Ese cuadro de los girasoles __________ Van Gogh?
   B. Sí, pero no __________ original, el auténtico __________ en Amsterdam.
7. En los primeros bancos de la iglesia algunas personas __________ rodillas.
8. A. ¿Vas a ir a la boda de Raquel?
   B. No puedo, en agosto __________ vacaciones.
9. A. ¿Vienes conmigo al cine?
   B. No me gusta nada esa película, __________ miedo.
10. A. ¿Quién es el chico que está con Raquel?
    B. No lo veo bien, __________ espaldas.

E Completa con el verbo *ser* o *estar* en el tiempo adecuado.

La Alhambra es un conjunto monumental que *está* (1) en la ciudad de Granada. Probablemente __________ (2) el monumento árabe más famoso de España.

Al principio __________ (3) sólo una fortaleza (s. IX-X) pero en el siglo XIV pasó a __________ (4) residencia de los reyes Yusuf I y Muhammad V, que construyeron los palacios musulmanes que todavía hoy se conservan.

Cuando los Reyes Católicos conquistaron Granada, en 1492, construyeron varios edificios civiles y religiosos. Durante el siglo XVIII y gran parte del XIX nadie se ocupaba del conjunto monumental, y sus dependencias __________ (5) llenas de tabernas y mendigos.

En la Guerra de Independencia (1808-1812) __________ (6) allí las tropas de Napoleón, que convirtieron los palacios en cuarteles y destruyeron algunas de sus torres.

Hasta los últimos años del siglo XIX no se empezó a restaurar. Desde 1983 __________ (7) patrimonio de la humanidad.

15. *Dijo que bajarían las temperaturas.*
Estilo indirecto (informativo)

Situaciones

► Cuando repetimos una información en estilo indirecto tenemos que hacer cambios en los verbos, en los pronombres y en algunas expresiones temporales o espaciales:

► Los verbos que introducen el estilo indirecto con el significado de "informar" son: *decir*, *contar*, *comentar*, *anunciar*, *declarar*, *afirmar*, *asegurar*, *explicar*, etc.
El acusado ***declaró que*** *nunca <u>había estado</u> en esa casa.*

► Los verbos *preguntar* y *responder* también pueden introducir estilo indirecto y siguen las mismas reglas que los anteriores.
En la rueda de prensa, los periodistas ***preguntaron*** *a la actriz* ***si*** *<u>era</u> cierto que se había separado de su marido, pero ella* ***respondió que*** *no <u>quería</u> hacer ninguna declaración sobre su vida privada.*

► Cuando el verbo introductor está en pretérito perfecto (*ha dicho*), las transformaciones verbales pueden ser las del presente o las de cualquiera de los demás tiempos del pasado.
María me ***ha dicho*** *que ya <u>es / era</u> muy tarde para ir al concierto.*
Tu jefe me ***ha preguntado*** *si te <u>he visto / había visto</u>.*

■ Selecciona la opción correcta. 

¿Cómo es?

Transformaciones verbales para estilo indirecto informativo

Estilo directo („............")	**Estilo indirecto en pasado** (***ha dicho / dijo / decía / había dicho...***)
Presente →	Pretérito imperfecto
Pretérito imperfecto →	Pretérito imperfecto
Pretérito perfecto →	Pretérito pluscuamperfecto / indefinido
Pretérito indefinido →	Pretérito pluscuamperfecto / indefinido
Pretérito pluscuamperfecto →	Pretérito pluscuamperfecto
Futuro →	Condicional
Condicional →	Condicional

Práctica

A Transforma en estilo indirecto.

1. "Yo cuando era más joven vivía en una casa muy grande y nunca tenía problemas económicos".
   Laura me contó que ella, cuando era más joven, vivía en una casa muy grande y (que) nunca tenía problemas económicos.

2. "Me caso el día 5 de mayo pero no he invitado a nadie, sólo asistirá mi familia".
   Su amiga le dijo que se casába pero no habia invitado a nadie, solo asistiria su familiá.

3. "¿Podrá venir a trabajar el sábado por la tarde?".
   Llamó tu jefe y preguntó si podrías.

4. "Yo no estaba allí ese día, hay testigos que me vieron en la otra punta de la ciudad y eso prueba que soy inocente".
   El detenido declaró que no estaba allí ese día, habia testigo que le veían. ese probaba que era inocente

5. "A. Es un viaje largo para su edad, ¿por qué no va en avión?".
   B. Porque me da miedo volar".
   El médico le preguntó que era un viaje largo para su edad y él digo que porque le daba miedo volar.

6. "¿Me das dinero para ir al cine?".

Su hijo ~~dijo se daba~~ me dijo que daría dinero para iba al cine.

7. "No fui ayer al hospital porque creía que ya estabais en casa, pero mañana iré a veros sin falta".

Su compañero le explicó que no fue ayer al hospital porque creía que ya estabamos en casa, pero hoy irá a vernos sin falta.

B Completa estos titulares con los verbos del recuadro.

ha declarado	explicó	aseguran	anunció	afirmó	comentaron

La ministra de medioambiente *ha declarado* (1) que estamos atravesando una de las mayores sequías de los últimos años.

LA CASA REAL anunció (2) EL PASADO DOMINGO EL EMBARAZO DE LA PRINCESA DOÑA LETIZIA Y explicó (3) QUE TANTO ELLA COMO EL PRÍNCIPE ESTÁN MUY ILUSIONADOS ANTE SU PRÓXIMA PATERNIDAD.

El Presidente del Gobierno afirmó (4) que se reformaría la constitución con el fin de que el primer hijo de los príncipes pueda reinar, tanto si es niño o niña.

Los profesores de secundaria ~~comentaron~~ aseguran. (5) que los alumnos tienen un nivel muy bajo en materias tan importantes como lengua o matemáticas.

Los jugadores de la selección española de fútbol ~~aseguran~~ comentaron (6) ayer en los vestuarios que habían perdido el partido por falta de concentración en los minutos finales.

16. Ojalá tuviera 10 años menos.
La expresión del deseo con imperfecto de subjuntivo

Situaciones

1. *Ojalá* + subjuntivo

- Usamos *ojalá* (*que*) + presente de subjuntivo para expresar deseos que se refieren al presente o al futuro: ***Ojalá llegue*** *pronto el tren.*

- Usamos *ojalá* (*que*) + imperfecto de subjuntivo para expresar deseos que son poco probables o imposibles: ***Ojalá tuviera*** *10 años menos.*

2. *Me gustaría* + infinitivo / subjuntivo

- Usamos *gustaría* + infinitivo cuando la persona a la que se refieren los dos verbos es la misma: *¿**Te gustaría** (a ti) **tener** (tú) otro hijo?*

- Usamos *gustaría* + *que* + subjuntivo cuando la persona a la que se refieren los dos verbos es distinta: ***Me gustaría** (a mí) **que estudiaras** (tú) medicina.*

3. Pretérito imperfecto de subjuntivo

- El pretérito imperfecto de subjuntivo tiene dos formas: *-ra* / *-se*. No hay ninguna diferencia de uso entre ellas: *Vendiera / vendiese, eligieras / eligieses, pudieran / pudieses, fuéramos / fuésemos.*

■ Completa con los verbos.

acostarme ser (2) ~~mejore~~ se marcharan

1. A. *¿Y a ti qué te gustaría* ______ *de mayor?*
   B. *Me gustaría* ______ *astronauta.*

3. *Lleva lloviendo todo el día, ojalá mañana* mejore.

¿Cómo es?

Verbos regulares					
Hablar		**Comer**		**Vivir**	
habl **-ara**	habl **-ase**	com **-iera**	com **-iese**	viv **-iera**	viv **-iese**
habl **-aras**	habl **-ases**	com **-ieras**	com **-ieses**	viv **-ieras**	viv **-ieses**
habl **-ara**	habl **-ase**	com **-iera**	com **-iese**	viv **-iera**	viv **-iese**
habl **-áramos**	habl **-ásemos**	com **-iéramos**	com **-iésemos**	viv **-iéramos**	viv **-iésemos**
habl **-arais**	habl **-aseis**	com **-ierais**	com **-ieseis**	viv **-ierais**	viv **-ieseis**
habl **-aran**	habl **-asen**	com **-ieran**	com **-iesen**	viv **-ieran**	viv **-iesen**

Verbos irregulares

Los verbos irregulares en imperfecto de subjuntivo tienen la misma irregularidad que en pretérito indefinido.

Infinitivo		Pretérito indefinido		Imperfecto de subjuntivo
ser	→	fueron	→	fue**ra** / **-se**, fue**ras** / **-ses**, fue**ra** / **-se**, fué**ramos** / **-semos**, fue**rais** / **-seis**, fue**ran** / **-sen**.
hacer	→	hicieron	→	hici**era** / **-se**, hici**eras** / **-ses**, hici**era** / **-se**, hicié**ramos** / **-seis**, hicie**rais** / **-seis**, hicie**ran** / **-sen**.
venir	→	vinieron	→	vinie**ra** / **-se**, vinie**ras** / **-ses**, vinie**ra** / **-se**, vinié**ramos** / **-semos**, vinie**rais** / **-seis**, vinie**ran** / **-sen**.
decir	→	dijeron	→	dije**ra** / **-se**, dije**ras** / **-ses**, dije**ra** / **-se**, dijé**ramos** / **-seis**, dije**rais** / **-seis**, dije**ran** / **-sen**.

Práctica

A Completa la tabla. Utiliza la tercera persona del plural.

Infinitivo	Pretérito indefinido	Imperfecto de subjuntivo
1. poner	*pusieron*	(tú) *pusieras, pusieses*
2. ser		(yo) ___, ___
3. pedir		(nosotros) ___, ___

4. volver	volvieron	(ellos) volvieran, volviesen
5. comer	comieran	(tú) comieras, comieses
6. escribir	escribieron	(vosotros) escribieran, escribiesen
7. vivir	viviera	(usted) viviera, viviese
8. consequir	consiguieron	(yo) consiquiera, consiquiese
9. dormir	durmieran	(él) durmiera, dumiese
10. querer	quisieron	(nosotros) quisieramos, quisiesemos
11. tener	tuvieran	(ellos) tuvieran, tuviesen
12. Ser / Ir	fueron	(tú) Fueras, fueses
13. decir	dijeran	(vosotros) dijeran, dijesen
14. estar	estuvieran	(ustedes) estuvieran, estuviesen
15. seguir	siguieron	(yo) siquieran, siquiesen

B Mira los dibujos y escribe el deseo de estas personas. Utiliza las frases del recuadro.

~~tener una casa más grande~~ ser médico su hijo dejar de llover ahora mismo ganar una medalla

1. *Ojalá tuviera una casa muy grande.*
   Me gustaría tener una casa muy grande.

2. Ojalá ganara una medalla
   Me gustaría ganar una medalla.

3. Ojalá dejara de llover
   Me gustaría que dejar

4. Ojalá fuiera un medico
   Me gustaría que fuiera medic

C Relaciona la situación con la expresión de deseo:

1. No tienes nada de dinero y te gustaría comprar un paquete de chicles.
2. Sólo tienes 1 euro y quieres comprar un paquete de chicles.
3. Todos los viernes hay mucho atasco en la carretera, hoy es jueves y mañana tienes una reunión muy temprano.
4. Estás harto/a de tardar tanto en llegar al trabajo. Te gustaría vivir más cerca.
5. Sales de casa sobre las 10, sabes que a esa hora no hay mucho tráfico para llegar al centro de la ciudad.

a) Ojalá no viviera tan lejos.
b) Ojalá tuviera dinero.
c) Ojalá no tarde mucho en llegar.
d) Ojalá sea suficiente.
e) Ojalá no hubiera mañana tanto tráfico.

D Completa con los verbos en el tiempo adecuado.

1. A. ¿Qué te gustaría que te *regalara* para tu cumpleaños?
   B. No quiero ningún regalo, me encantaría que tú no ______ ese día a trabajar y lo ______ juntos.
   A. Ojalá ______ pero es imposible, tengo una reunión a las 12 y otra por la tarde.
   (regalar – ir – pasar – poder)
2. A. Estoy harto de estar en esta oficina, me encantaría que nos ______ sin decirle nada a nadie.
   B. A mí me gustaría ______ en casa durmiendo la siesta.
   C. Yo ojalá ______ ahora en una isla del Caribe tomando el sol.
   (ir – estar – estar)
3. A. ¿A ti qué actor o actriz famoso/a te gustaría ______?
   B. A Matt Damon, ¿y a ti?
   A. Yo preferiría que me ______ a Tom Cruise, es mucho más sexy.
   (conocer – presentar)
4. A. El otro día les pregunté a mis alumnos cómo les gustaría que ______ la vida en el futuro.
   B. ¿Y qué te dijeron?
   A. Que les gustaría que ______ autopistas por el aire y que los coches ______ volar. Y otro dijo que ojalá los robots ______ todos los trabajos difíciles.
   B. Y que ______ por ellos, claro.
   A. Pues sí. Estoy cansado de mi trabajo, ¿sabes? Me gustaría ______ una buenas vacaciones.
   (ser – haber – poder – hacer – estudiar – tomarse)

17 *Si tuviera 20 años menos...*

Condicionales poco probables o imposibles

Situaciones

► Para expresar condiciones poco probables o difíciles de cumplir y sus consecuencias, utilizamos la siguiente estructura:

si + pretérito imperfecto de subjuntivo + condicional.

Si ***saliera*** *hoy pronto del trabajo* ***iría*** *al cine, pero no creo.*
Si ***estuviera*** *ahora en la playa se me* ***quitaría*** *el estrés.*

■ Completa con los verbos. ~~vendiera~~ pidiera conseguiría cansaríamos fuera tuviéramos

Si *vendiera* el coche viejo me darían unos 3.000 euros y si ________ al banco y ________ un préstamo, seguro que ________ el dinero que falta.

Si ________ 20 años menos, no nos ________ tanto.

¿Cómo es?

Condicionales probables:

Si + presente	→ presente:	*Si* ***llego*** *pronto te* ***llamo***.
	→ imperativo:	*Si no* ***puedes*** *ir,* ***avísame***.
	→ futuro:	*Si tú* ***quieres***, ***iremos*** *a la playa.*

Condicionales poco probables o imposibles:

Si + pretérito imperfecto de subjuntivo → condicional:
Si te ***cuidaras*** *más no* ***tendrías*** *tantos problemas de salud.*

Práctica

A Relaciona.

1. Si tuviera 30 años menos
2. Si yo fuese el presidente de mi país
3. Si tengo tiempo
4. Si pudiera volver atrás
5. Si vas al hospital
6. Si no tuviese tres hijos
7. Si no puedes hacer tú la reserva

a) bajaría los impuestos.
b) no cometería tantos errores.
c) la haré yo.
d) daría la vuelta al mundo.
e) dejaría este trabajo.
f) prepararé la comida.
g) avísame.

B Completa con los verbos entre paréntesis. Utiliza el tiempo adecuado.

Un día alguien escribió

* *Si tuviera (1) un millón de amigos y le (pedir) ________ (2) a cada uno una moneda, (poder) ________ (3) ser millonario.*
* *Si (tener) ________ (4) quinientos mil amigos, les (pedir) ________ (5) tomarnos de las manos para unir al país.*
* *Si (tener) ________ (6) veinticinco mil amigos, la empresa de teléfono me (cortar) ________ (7) la línea cada vez que cumpliera años.*
* *Si (tener) ________ (8) seis mil amigos, me (gustar) ________ (9) ser padrino de seis mil niños.*
* *Si (tener) ________ (10) mil amigos, (tener) ________ (11) dos mil manos para mí solo.*
* *Si (tener) ________ (12) 365 amigos, (pasar) ________ (13) cada día del año con uno de ellos.*
* *Si (tener) ________ (14) cien amigos, (tener) ________ (15) 100 consejos.*
* *Si (tener) ________ (16) cuatro amigos, (tener) ________ (17) aseguradas las cuatro manos que cargarían mi ataúd.*

Pero si (tener) ________ (18) un solo amigo (y lo tengo), no (necesitar) ________ (19) tener más.

Hay quienes quieren tener un millón de amigos, cuando tú solo vales millones.

C Completa con el verbo en el tiempo adecuado.

~~encontrar~~	poder (3)	estar	tener	cambiar	pasar	encarecer	hacer

1. A. ¿Tu hija se va a cambiar pronto de piso?
   B. Si *encuentra* uno barato sí, de momento está buscando.
   A. En este periódico hay algunos muy bien de precio pero están en las afueras.
   B. Claro, si ________ en el centro serían mucho más caros.
2. A. ¿Qué crees que ________ si se acabara el petróleo?
   B. Pues que nuestra vida ________ completamente: no ________ usar los coches que tenemos ahora, muchos productos se ________ y ________ que buscar energías alternativas.
3. A. Sr. Hernández, necesito el informe que le pedí ayer.
   B. Si ________ se lo enviaría, pero es que aún no lo he terminado, he tenido que buscar todas las facturas del año pasado.
   A. Si usted ________ bien su trabajo no pasarían estas cosas. Lo quiero en mi mesa dentro de una hora.
   B. Si ________ se lo envío, pero no puedo asegurárselo.

acabar	comprar (2)	querer	subir
hacer (2)	tener (3)	gobernar	pasear
ir (2)	contratar	decir	ser

4. A. ¿Has visto qué coche más barato? Si ________ dinero se lo compraría a mi hijo.
   B. Pues si ________ yo puedo prestarte el dinero.
5. A. ¿Qué ________ si ________ el presidente del gobierno de tu país?
   B. Yo ________ con las desigualdades y ________ los sueldos de los que ganan menos.
   A. Si ________ eso te ganarías muchos enemigos y no ________ durante mucho tiempo.
6. A. ¿Qué es lo primero que ________ si ________ 1 millón de euros?
   B. Yo ________ una casa enorme. No, mejor un castillo.
   C. Pues si yo ________ tanto dinero me ________ a vivir al mejor hotel de la ciudad, ________ un chófer y me ________ por la ciudad en mi Rolls.
7. A. ¿Vas a venir al concierto del sábado?
   B. Si me dejan mis padres ________, pero no estoy muy segura.
   A. Si les ________ que no vamos a llegar tarde seguro que te dejan.

D De las siguientes frases, siete son incorrectas. Corrígelas.

1. A. Mañana tengo cita con el médico.
   B. Si querrías que te acompañe, dímelo. ~~querrías~~ *quieres.*
2. Si suspendes el próximo examen tendrás que repetir el curso. ________.
3. Si no aceptarás ese trabajo te arrepentirás siempre. ________.
4. Si me llamaría mi antiguo novio volvería con él. ________.
5. Si tuvieras que comprarle un regalo a tu jefe, ¿qué le regalarías? ________.
6. Si el tren no llegará hoy con retraso podríamos ver el partido. ________.
7. ¿En qué país del mundo vivirías si podrías elegir? ________.
8. Si volvieras a nacer, ¿te gustaría hacerlo en el mismo sitio? ________.
9. Te dejo el coche si me prometas que me lo devuelvas pronto. ________.
10. Si ves a Juan dile que ha recibido una llamada urgente. ________.
11. ¿Cómo sería tu vida si vivieras en otro planeta? ________.
12. Si te preocupas más por las cosas no tendrías tantos problemas. ________.

E ¿Qué harías si...?

1. Te encontraras una cartera con 1.000 euros.
   La llevaría a la comisaría más cercana.
2. Vieras un OVNI.
   ________.
3. Te confundieran con un actor famoso.
   ________.
4. Estuvieras en el extranjero y no tuvieras dinero.
   ________.
5. Vieras a tu mejor amigo robando un banco.
   ________.

18. *Llamamos a Beatriz para que viniera a la fiesta.*
Oraciones finales

Situaciones

- Los nexos que introducen las oraciones finales son *para* (es el más frecuente), *con el fin de*, *a fin de*, *con el objeto de*, etcétera.

- Estas oraciones llevan el verbo en:
  a) Infinitivo (cuando el sujeto de la oración principal y de la subordinada es el mismo):
  Te escribo (yo) ***para pedirte*** *(yo) un favor.*
  Se marchó enseguida (él) ***con el fin de evitar*** *(él) cualquier problema.*
  b) Subjuntivo (si los sujetos son distintos):
  Te lo cuento (yo) ***para que sepas*** *(tú) toda la verdad.*

- Cuando el verbo de la oración principal está en pretérito indefinido, pretérito imperfecto o pluscuamperfecto, normalmente utilizamos el imperfecto de subjuntivo:
  Le ***enviaron*** *la información* ***con objeto de que entregara*** *la documentación adecuada.*

- Cuando el verbo de la oración principal está en pretérito perfecto, se utiliza preferentemente el presente de subjuntivo, pero puede utililizarse también el pretérito imperfecto.
  Ha luchado *mucho toda su vida para que sus hijos* ***salgan / salieran*** *adelante.*

- En las oraciones interrogativas que preguntan por la finalidad utilizamos siempre el nexo seguido de *que* + indicativo:
  ¿Para qué te llamó *Juan? /* ***¿Con qué fin hizo*** *usted eso?*

■ Completa con los verbos del recuadro.

para que te dejen con el objeto de apoyar ~~para saludar~~ con el fin de que... tuvieran

Después de la boda, los príncipes se asomaron al balcón para saludar (1) a la gente.

Me llevo a los niños ________ (2) trabajar tranquilo.

Hace tres años la ministra de vivienda prometió la construcción de más de 40.000 pisos ________ los jóvenes ________ (3) su primera vivienda.

TODOS LOS ALCALDES DE LA COMUNIDAD DE MADRID HICIERON UN ESCRITO ________ (4) LA CANDIDATURA A LOS JUEGOS OLÍMPICOS DE 2012.

Práctica

A Relaciona.

1. ¿Para qué te llamó ayer María?
2. ¿Para qué quería verte tu jefe?
3. ¿Con qué objeto pusieron esas imágenes en televisión?
4. ¿Con qué fin hacen esa reunión?
5. ¿Para qué te gustaría ser mayor?

a) Para pedir aumento de sueldo.
b) Para que la acompañara a la exposición.
c) Para que no me dijeras lo que tengo que hacer.
d) Para que subiera la audiencia.
e) Para proponerme un ascenso.

B Completa con el verbo en el tiempo adecuado.

1. Numerosos jóvenes se concentraron ayer en la plaza del Dos de Mayo para *expresar* su desacuerdo con la reforma educativa; pero según el Delegado del Gobierno, la manifestación era ilegal. Cuando la plaza empezaba a llenarse de gente la policía decidió intervenir con el objeto de __________ a los manifestantes y __________ daños en los establecimientos de la zona. (expresar, disolver, evitar)
2. A. ¿Has puesto ya la convocatoria del concurso de cuentos en el tablón de anuncios?
   B. No, se la he dado a Miguel para que la __________ él.
   A. ¿Qué podemos hacer para que __________ más participación que el año pasado?
   B. Podríamos enviar una circular a todos los profesores para que __________ a sus alumnos.
   (poner, haber, informar)
3. A. ¿Qué le pasó a tu vecino?
   B. No sé, yo lo vi tendido en el suelo, me acerqué para __________ qué ocurría y en ese momento él se levantó y dijo que le habían golpeado. Entonces salió otro vecino con un vaso de agua y una pastilla para que __________ un poco pero le dijo que le dejara en paz, que él era el que le había golpeado. Después, me fui para que no me __________ a mí también.
   (ver, tranquilizarse, acusar)

C Escribe una frase compuesta con la información que te damos y el nexo que aparece entre paréntesis.

1. Hay que llamar al médico. Tiene que darnos los resultados de las pruebas. (para)
   Hay que llamar al médico para que nos dé los resultados de las pruebas.
2. Deja la puerta cerrada. No quiero que entre frío. (para)
   ______________________________.
3. María se calló. No quería que Pedro se enfadara con ella. (para)
   ______________________________.
4. Han llamado a un arquitecto. Necesitan hacer los planos de la casa nueva. (con el fin de)
   ______________________________.

19. *Es injusto que le traten así.*
Ser / estar + adjetivo + *que* (indicativo / subjuntivo)

Situaciones

- Después de *está* + *claro* / *visto* / *comprobado* + *que* o de *es* + *evidente* / *cierto* / *obvio* / *seguro* + *que* se utiliza el indicativo o el subjuntivo.
  a) Si la expresión es afirmativa utilizamos el indicativo:
  Está claro que *los países desarrollados* ***contaminan*** *más.*
  Es obvio que *el vuelo* ***trae*** *retraso, si no ya estarían aquí.*
  b) Si es negativa utilizamos el subjuntivo:
  No es cierto que sea *médico, es enfermero.*
  No es seguro que vayamos *a la playa, quizá pasemos las vacaciones aquí.*

- Después de *es* (*me parece*) + *fácil* / *injusto* / *estupendo* / *horrible* / *normal* / *lógico* + *que* se utiliza una oración con el verbo en infinitivo o en subjuntivo.
  a) Si hablamos de algo que se refiere a todo el mundo utilizamos el infinitivo:
  Es estupendo trabajar *en algo que te gusta.*
  Es fácil aprobar *esa asignatura, sólo tienes que prestar atención en clase.*
  b) Si nos referimos a un sujeto concreto utilizamos el subjuntivo:
  Es lógico que tengas *hambre, no has comido nada y ya son más de las 6.*
  Es injusto que digas *eso, yo no quise hacerle daño.*

- Utilizamos la misma estructura (*ser* + adj. + *que*) para dar consejos o recomendaciones.
  Es conveniente ir *al médico cuando perdemos peso de forma prolongada.*
  Todavía no conduces bien, ***es mejor que vayas*** *despacio.*

■ Completa con los verbos del recuadro.

está	haya	~~lleve~~	sea

1. No me parece normal que *lleve* tantas maletas para un fin de semana.

2. Es injusto que ________ tantas personas sin hogar.

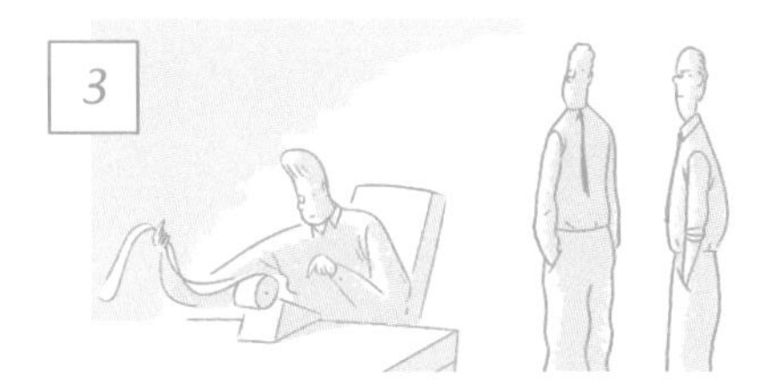

3. A. Todos los días falta dinero, es evidente que nos ________ engañando.
B. Para mí no está tan claro que ________ él, siempre ha sido muy honrado.

¿Cómo es?

(No) **Está** claro / comprobado / visto
(No) **Es** cierto / evidente / obvio / seguro / verdad
+ que + indicativo / subjuntivo

Es / me parece
absurdo, agradable, comprensible, curioso, desagradable, difícil, estupendo, extraño, fácil, fantástico, justo, importante, imposible, imprescindible, inaceptable, increíble, indignante, inevitable, injusto, inútil, interesante, lógico, maravilloso, natural, normal, raro, sorprendente, etc.
+ infinitivo / que + subjuntivo

Consejos / recomendaciones
Es aconsejable / recomendable / conveniente
Es mejor / necesario / importante / imprescindible
+ infinitivo / que + subjuntivo

Práctica

A Selecciona el verbo adecuado.

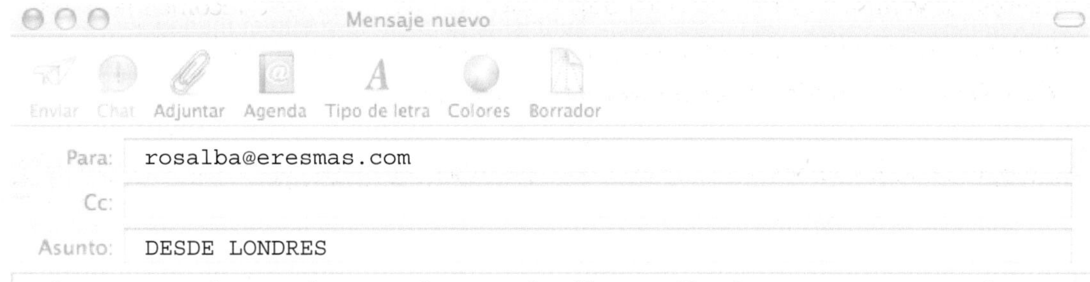

Hola Rosa, ¿cómo estás? Yo, fenomenal, llevo sólo dos semanas en Londres y ya he encontrado trabajo. Es en un café que está en Chelsea, un barrio precioso por el que es muy agradable (*pasear / que pasee*) (1) y (*disfrutar / que disfrute*) (2) de lo poco que queda de verano. También tengo casa, comparto piso con una chica francesa y dos nigerianas. De momento nos llevamos bastante bien, pero echo de menos el sol de España, las comidas y es extraño no (*hablar / hablo*) (3) nunca en español. Ah, no es verdad que en esta ciudad no (*salen / salgan*) (4) por la noche, hay casi tanta marcha como en Madrid.

Mensaje nuevo

Enviar Chat Adjuntar Agenda Tipo de letra Colores Borrador

Para: yolibeti@hotmail.com

Cc:

Asunto: ¡HOLA GUAPA!

Hola, Yolanda, ¡qué alegría recibir tu correo tan pronto!
Me alegro mucho de todo lo que te está pasando. Es increíble que (*tienes / tengas*) (5) ya casa y que (*es / sea*) (6) precisamente en ese barrio tan bonito. Por lo demás no te preocupes, es difícil (*que te adaptes / adaptarse*) (7) a vivir en un país extranjero, pero seguro que con el tiempo te sientes mucho mejor.

B Selecciona la opción correcta.

1. Es *estupendo / claro* que estemos todos juntos en el cumpleaños de la abuela.
2. No te enfades tanto, es *comprensible / evidente* que las niñas hagan eso, son muy jóvenes.
3. A. ¿Es *fácil / cierto* que Roberto está en el paro?
   B. Sí, pero nos parece muy *extraño / fácil* que no encuentre nada, es muy trabajador.
4. A. Es *increíble / importante* que esté todo tan sucio, ¿no hay servicio de limpieza en este hospital?
   B. Claro que lo hay, pero es *evidente / comprensible* que no hacen su trabajo.
5. ¿Quién ha hecho esta tortilla? ¡Las patatas están crudas! Está *seguro / visto* que tengo que cocinar yo, si no esto es un desastre.
6. Después de lo que te ha dicho el jefe, está *claro / imposible* que no te va a subir el sueldo.
7. Es *fantástico / seguro* que tengas dinero suficiente para dar la vuelta al mundo.
8. Es *claro / fácil* aprobar el examen teórico, pero es muy *inseguro / difícil* aprobar el práctico.

C Completa las frases con el verbo en infinitivo, indicativo o subjuntivo.

1. ¡Es imposible que Marta y Eva aún no tengan trabajo, si eran las mejores de la facultad!
2. Estoy preocupada por Clara, no es normal que ____________ (estar) siempre tan distraída y que no nos ____________ (hacer) ni caso.
3. Es fantástico que ____________ (venir, vosotros) a la playa, lo vamos a pasar muy bien todos juntos.
4. Es más difícil ____________ (conseguir) un buen empleo sin formación adecuada.
5. A. Es increíble que Miguel ____________ (aprobar) siempre que hace un examen, ¡si no estudia nunca!
   B. No es cierto que no ____________ (estudiar), lleva varios fines de semana sin salir.

6. Es injusto que le ______________ (hablar, vosotros) así, después de todo lo que ha hecho por vosotros.
7. Es imposible que el banco ______________ (estar) cerrado, sólo son las 12.
8. Para la mayoría de la gente no es fácil ______________ (superar) los fracasos sentimentales.
9. A. María, no es normal que siempre ______________ (tener) que hacer yo el trabajo de las dos.
   B. Es curioso que ______________ (decir) eso, yo pienso exactamente lo contrario.
10. Me parece raro que no ______________ (contestar, ellos), a esta hora siempre hay alguien en casa.
11. A. ¿Es imprescindible ______________ (rellenar) este impreso para obtener el visado?
    B. Sí, es una norma de la Embajada.
12. Es inútil que ______________ (insistir, vosotros), no voy a cambiar de opinión.

D Completa este cartel informativo formando frases con los elementos de los recuadros.

Es conveniente	beber mucho líquido, unos dos litros diarios.
Es necesario	refrescarse con agua fría si sienten mucho calor.
Es imprescindible	no salir a la calle en las horas de más calor.
Es importante	ir al médico si sienten debilidad o mareos.
Es recomendable	no tomar el sol desde las 12 hasta las 16 horas.
	utilizar crema protectora solar y gafas de sol.
	hacer ejercicio moderado.

CONSEJOS PARA SOPORTAR LAS ALTAS TEMPERATURAS DEL VERANO

PARA LOS MAYORES

1. *Es imprescindible que beban mucho líquido, unos dos litros diarios.*
2. ______________
3. ______________
4. ______________

PARA LOS NIÑOS

5. ______________
6. ______________
7. ______________

20. Me molesta que la gente grite en el restaurante.
La expresión del sentimiento y el gusto personal

Situaciones

- Las oraciones que dependen de verbos que expresan sentimiento o gusto personal (verbos "le"), pueden llevar el verbo en infinitivo o subjuntivo:
  a) En infinitivo, si el sujeto lógico de las dos oraciones es el mismo.
  Me encanta levantarme *tarde y desayunar en la cama.*
  ¿A ti no ***te importa trabajar*** *los sábados?*
  b) En subjuntivo, cuando el sujeto lógico de las dos oraciones es diferente.
  Me preocupa que estés *siempre tan cansada, ¿por qué no vas al médico?*
  ¿No ***te molesta que digan*** *eso?*

- Si la oración subordinada depende de un verbo en condicional, normalmente utilizamos el infinitivo o imperfecto de subjuntivo:
  A mi hija ***le gustaría ser*** *actriz.*
  Nos encantaría que vinierais *con nosotros de vacaciones.*

■ Relaciona los dibujos con las frases.
a. ¿A tus vecinos no les importa que hagamos ruido?
b. Me encanta pasar la tarde delante de la tele.
c. No me gusta que trabajes por la noche, es más peligroso.
d. ¿Por qué no venís a la cena con los niños?, nos encantaría verlos.

4

¿Cómo es?

a mí	me	
a ti	te	
a él / ella / Vd.	le	+ *encanta* { *bailar.* / *que + vengas a casa.* }
a nosotros, -as	nos	
a vosotros, -as	os	
a ellos, -as / Vds.	les	

Práctica

A **Selecciona la opción adecuada.**

¿QUÉ OPINAS DE LA TELEVISIÓN?

1. Me parece que es un gran invento. Me encanta pasar / *que pase* la tarde del domingo en el sillón viendo cualquier película.

2. A mis hijos les gustaría *ver* / *que vieran* más programas infantiles, y a mí lo que más me molesta es que *pongan* / *pusieran* tanta telebasura.

3. A los famosos no nos gusta que *hablen* / *hablaran* tanto de nuestra vida privada.

4. Me gustaría que *haya* / *hubiera* más cadenas, así tendríamos más posibilidades de elegir.

5. A mi familia y a mí no nos importaría que la televisión *desaparezca* / *desapareciera*, nosotros no la vemos nunca.

6. En la Asociación para la Defensa del Menor nos indigna que no se *respete* / *respetara* el horario infantil y no se *controlen* / *controlaran* los contenidos violentos de muchos programas.

7. A mí no me interesa nada *ver* / *que vea* la tele, prefiero hacer otras cosas.

B **Completa con los verbos del recuadro.**

hacer	trabajar	tener	meterse	usar	recordar	sentarse	traer	quedarse

¿CÓMO TE SIENTES EN EL TRABAJO?

1. Me molesta que mi compañero no haga su trabajo y ____________ que hacerlo yo por él.
2. Me gusta que el jefe ____________ tanto o más que nosotros.
3. Me fastidia que mis compañeros ____________ en mi vida privada.
4. Me encantaría que mis compañeros ____________ el día de mi cumpleaños y me ____________ un regalo, pero eso nunca ocurre.
5. Me indigna que ____________ en mi mesa y ____________ mi ordenador sin pedirme permiso.
6. No me gusta ____________ después de mi hora de salida, sobre todo si no me pagan las horas extra.

21. *El libro que me prestaste me ha gustado.*
Oraciones de relativo (I): indicativo y subjuntivo

Situaciones

1. Pronombres relativos

Los pronombres relativos más usados en español son *que, el / la / los / las que, el / la cual, los / las cuales, quien, quienes.*
La profesora ***que*** *vino ayer es peruana.*
Roberto, ***que*** *no es tonto, se dio cuenta de las intenciones de Pedro.*

2. *Que*

El pronombre *que* se puede utilizar en la mayoría de los casos, tanto para antecedente de persona o cosa, singular o plural.
El libro ***que*** *me dejaste me ha gustado mucho.*
(antecedente)

Ayer encontraron a los niños ***que*** *habían desaparecido en la selva.*

3. *Quien / quienes*

Se utiliza para antecedente de persona, pero especialmente en contextos formales y escritos. También se utiliza después de preposición (tema 22).
Ayer me encontré al párroco, ***quien / que*** *me dio recuerdos para ti.*

► No se puede usar en las oraciones adjetivas especificativas (o "restrictivas") como:
El hombre ~~quien~~ llamó por teléfono ayer preguntó por ti.
que

4. *El / la cual, los / las cuales*

Se utiliza en contextos formales, o detrás de preposiciones de más de una sílaba o de una expresión preposicional.
Hay una nueva teoría ***según la cual*** *las enfermedades alérgicas están relacionadas con la limpieza de los hogares.*

5. Indicativo / Subjuntivo

Las oraciones de relativo pueden llevar el verbo en indicativo o subjuntivo.

a) Indicativo. Si el antecedente es conocido por el hablante, o está identificado.

Conozco a un masajista ***que te deja*** *como nuevo.*

Hemos reservado una habitación ***que no tiene*** *aire acondicionado.*

Busco a la persona ***que dejó*** *un mensaje en mi contestador.*

b) Subjuntivo. Cuando hablamos de un antecedente que no conocemos o no está identificado.

¿Conoces a algún masajista ***que no sea*** *muy caro?*

Busco una persona ***que sepa*** *bastante informática.*

► También cuando afirmamos del antecedente que no existe o es escaso.

No hay nadie ***que la*** *soporte.*

Hay pocos ***que toquen*** *el violín como él.*

■ Completa la carta de Iván a los Reyes Magos. Utiliza los verbos *tener*, *poder*, *hacer*.

Queridos Reyes Magos:

Me pido un reloj que tenga (1) cuentakilómetros, un móvil que ________ (2) fotos, un bolígrafo que ________ (3) calculadora para hacer las cuentas y que se ________ (4) borrar, y unas zapatillas deportivas que ________ (5) luces.

Un abrazo: Iván

¿Cómo es?

	Singular		Plural	
Masculino	el que	el cual	los que	los cuales
Femenino	la que	la cual	las que	las cuales
	quien		quienes	
		que		

Práctica

A Haz la transformación como en el modelo.

1. Queremos ver una película. Empieza a las 8.10.

   La película que queremos ver empieza a las 8.10.

2. Estoy buscando a un constructor. Vive en esta calle.

   El constructor ______________________________.

3. Tengo una máquina cortacésped. Funciona con electricidad.

   La máquina cortacésped ______________________________.

4. Vino a buscarme al aeropuerto un amigo. Me ayudó a traer las maletas.

   El amigo ______________________________.

5. Ayer comimos una paella en casa de Ángel. Estaba muy buena.

   La paella ______________________________.

6. Yo conozco a un fontanero. Arregla todo tipo de averías.

   El fontanero ______________________________.

B Completa las frases con ideas del recuadro. Escribe más de una posibilidad para cada comienzo.

hablar muy alto	~~bailar flamenco~~	vivir en La Habana
(no) hablar mucho	ser orgulloso	(no) ser ecologista
saber cocinar bien	tener muchos hijos	ser tímido
no hablar nada	ir a la disco	tocar la guitarra
jugar al fútbol bien	trabaja en un / el circo	

1. ¿Conoces a alguien *que baile flamenco*?

   ______________________________.

2. No conozco a nadie que ______________________________.

   ______________________________.

3. Me gusta la gente que ______________________________.

   ______________________________.

4. En mi clase no hay nadie que ____.

____.

5. No hay mucha gente que ____.

____.

6. Me molesta la gente que ____.

____.

C **Completa el cartel de "Anuncios" con el tiempo adecuado.**

ANUNCIOS

AMIGOS

- BUSCO UN AMIGO/A de entre 21 y 30 años que (odiar) *odie* (1) la disco, que (ser) __________ (2) buena gente, que no (ser) __________ (3) raro. Sevilla. **R. 421.**

- CHICA DE 21 AÑOS que (sentirse) __________ (4) un poco sola, busca amiga de entre 20 y 28 que (odiar) __________ (5) la disco, para una buena amistad. A Coruña. **R. 167.**

- HOLA, me gustaría conocer a hombres de entre 40 y 50 años, que (ser) __________ (6) serios y formales y que (vivir) __________ (7) en la zona de Salamanca. **R. 6046.**

- BUSCO MUJER de 25 a 45 años a la que le (gustar) __________ (8) la naturaleza y que no (fumar) __________ (9). A mí me gusta ir al cine y salir a la montaña. **R. 543.**

- CABALLERO DE 50 AÑOS, infeliz y solitario, busca señora o señorita que (estar) __________ (10) en la misma situación, para compartir la vida. **R. 321.**

- SOY UN CHICO al que le (gustar) __________ (11) la vida tranquila y busca una chica que no (fumar) __________ (12), a la que le (gustar) __________ (13) los animales y que (vivir) __________ (14) por la zona de Santiago. **R. 324.**

22. *El hombre con quien se casó.*
Oraciones de relativo (II)

Situaciones

- En español, la preposición exigida por el verbo tiene que ir antes del pronombre relativo.

  (Ayer hablé con una profesora. Esa profesora es chilena, no mexicana).
  *La profesora **con la que /con quien / con la cual** hablé ayer es chilena, no mexicana.*

- Las tres opciones del ejemplo anterior son correctas, pero hay algunas variaciones en cuanto al uso.

  a) *El / la / los / las que* es la forma más frecuente en el español hablado. Sirve tanto para antecedente de persona como de cosa.
  *Esta no es la misma calle **por la que** pasamos ayer.*

  b) *Quien, quienes* es algo más formal que el anterior. También se emplea en los casos en que no se conoce o no es necesario especificar el género (masculino o femenino) del antecedente.
  *Busco a alguien **con quien** compartir viaje a Dinamarca.*

  c) *El / la cual, los / las cuales.*
  Habitualmente se utiliza en contextos formales. No es adecuado decir:
  *Violeta se casó con Ramón, ~~**el cual**~~ trabajaba en una empresa de ordenadores.*
  que

  No obstante, es obligatorio utilizarlo detrás de *según*:
  *Hemos recibido noticias **según las cuales** el asesino se encuentra en Sevilla.*

  Se utiliza preferentemente detrás de preposiciones de más de una sílaba o locuciones como *dentro de, frente a, debajo de…*
  *Recibió un paquete **dentro del cual** había unas cartas de su amante.*

- ***Donde / en el que / en que.***
  Estas tres formas alternan cuando nos referimos a un antecedente de lugar.
  *Esta es la casa **donde / en la que / en que** yo vivía cuando era niño.*

  La última forma, *en que*, no es la más frecuente, pero es posible. Se utiliza también con un antecedente temporal, como *día, semana, año*.
  *Recuerdo que el día **en que** nos conocimos hacía un tiempo malísimo.*

■ Completa lo que le dice Joaquín a su novia. Utiliza los relativos del recuadro.

en que / en la que	con que	que

De ti me gusta todo: la ropa *que* llevas, la casa ________ vives, el día ________ nos conocimos, los ojos ________ me miras, la oficina ________ trabajas, vamos, todo.

Práctica

A Subraya la opción correcta.

1. La profesora *con la que / donde* hablé me dijo que el examen era mañana.
2. Dame una camisa *quien / de las que* tienes en el armario.
3. Ramón es una persona *con quien / en la que* confío.
4. Ayer vi esa película *de la que / de quien* habla todo el mundo y no me pareció tan buena.
5. No es fácil saber *en quien / de que* se puede confiar.
6. La habitación *en la que / que* comíamos estaba llena de humo.
7. Vivía en una casa *en la que / cual* sus padres tenían una panadería.
8. En el jardín había un árbol *que / debajo del cual* pasábamos horas charlando.
9. La mujer *con la que / quien* se casó mi hermano era enfermera.
10. La casa *en la que / en cual* vivía antes de casarse la han derribado.
11. El gimnasio *al que / quien* iba el año pasado ha cerrado por reformas.
12. El policía *quien / al que* preguntamos la dirección no sabía tampoco cómo llegar.
13. La mujer *a la que / quien* vimos en el Museo era una pintora famosa.

B Transforma.

1. Yo voy a un dentista. Ese dentista no es muy caro.
   El dentista al que yo voy no es muy caro.
2. Rubén trabajaba en una fábrica. Esa fábrica la han cerrado.
   La fábrica ____.

3. Violeta viene de un pueblo. El pueblo no tiene médico.

   El pueblo ____.

4. La profesora está hablando con un hombre. Ese hombre es el director.

   El hombre ____.

5. Ayer nos encontramos con un chico. Ese chico es el hijo de mi ex marido.

   El chico ____.

6. Él se fue de su casa por alguna razón. Yo no conozco esa razón.

   Yo no conozco la razón ______________________________________.

C **Completa cada frase con una preposición + el pronombre adecuado. Suele haber más de una posibilidad.**

a	con	de	por	para	en

el / la / los / las que	quien	donde

1. Todavía no ha aparecido el revólver *con el que* mataron al joyero.
2. ¿Tú conoces al vendedor ____________ trabaja Rosa?
3. La maleta ____________ llevaba los documentos no apareció.
4. La agencia de viajes ____________ compramos los billetes no está abierta ahora.
5. La empresa ____________ trabaja mi marido es alemana.
6. El supermercado ____________ vamos normalmente es más barato que este.
7. La calle ____________ vengo normalmente está cortada por obras.
8. La mujer ____________ preguntamos no sabía nada.
9. El chico ____________ sale mi hija es muy guapo.
10. La película ____________ te hablé ayer la ponen hoy en la tele.
11. El médico ____________ hablaron les dijo que no era grave.
12. Estoy pensando en mi país, ____________ la situación de los derechos humanos es difícil.
13. Hay que ayudar ____________ más lo necesita.
14. A María la quieren mucho en la empresa ____________ trabaja.
15. El estudiante ____________ presté mi diccionario ya no viene a clase.
16. ¿Has visto al chico ____________ le compramos el ordenador?

D **En un juicio por el robo en una joyería, el fiscal interroga al acusado sobre las pruebas de su crimen. Añade los pronombres relativos (con o sin preposición) donde sea necesario.**

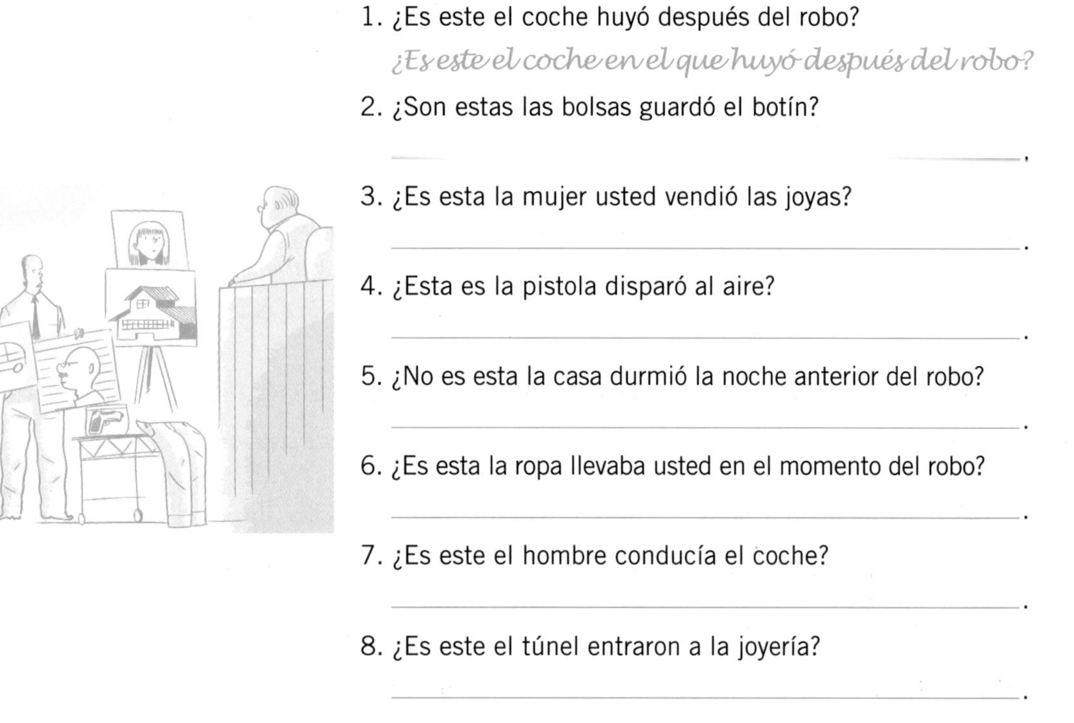

1. ¿Es este el coche huyó después del robo?
   ¿Es este el coche en el que huyó después del robo?
2. ¿Son estas las bolsas guardó el botín?
   ______________________.
3. ¿Es esta la mujer usted vendió las joyas?
   ______________________.
4. ¿Esta es la pistola disparó al aire?
   ______________________.
5. ¿No es esta la casa durmió la noche anterior del robo?
   ______________________.
6. ¿Es esta la ropa llevaba usted en el momento del robo?
   ______________________.
7. ¿Es este el hombre conducía el coche?
   ______________________.
8. ¿Es este el túnel entraron a la joyería?
   ______________________.

E **De las frases siguientes, cuatro son correctas y diez incorrectas. Encuéntralas y corrígelas.**

1. Los vecinos *quienes* viven en el quinto hacen mucho ruido. *I. que*
2. El hospital en el que trabajo está cerca de mi casa. ______
3. El libro el cual he leído me ha gustado mucho. ______
4. El hombre quien se casó Alicia no era médico, como decía. ______
5. ¿Conoces a la mujer quien está hablando Ángel? ______
6. Necesitamos a alguien con la que compartir piso. ______
7. No conozco a nadie que quiera venir aquí. ______
8. Ramón, con que estudié en la universidad, falleció ayer. ______
9. Ayer llamó a sus hijos, a los que no ve desde hace años. ______
10. Rosalía, la mujer con la que vive Javier, está embarazada. ______
11. El vendedor quien me atendió era amable. ______
12. La casa que vivíamos el año pasado era más pequeña. ______
13. ¿Conoces al actor quien sale en esta película? ______
14. ¿Te acuerdas del hotel cual fuimos el año pasado? ______

23. *Avísame cuando termines.*

Indicativo / Subjuntivo con oraciones temporales

Situaciones

- Las oraciones subordinadas introducidas por *cuando* pueden llevar el verbo en:
  a) Indicativo. Cuando nos referimos al pasado o al presente.
  *Cuando **llegó** a Brasil se puso a trabajar en una tienda y ahora ya tiene su propio negocio.*
  *Cuando **llega** a casa se sienta delante del ordenador y no dice nada.*
  b) Subjuntivo. Cuando nos referimos al futuro.
  *Cuando **necesites** algo, llámame.*
  *Cuando **tenga** tiempo voy a matricularme en un curso de cerámica, me encanta.*

- Las oraciones interrogativas, tanto directas como indirectas, llevan el verbo en indicativo.
  *¿Cuándo **vas a ir** a la peluquería?*
  *Lo siento, no sé cuándo **vendrá** el señor Martínez, llame más tarde.*

■ Mira las imágenes y señala quién dice cada una de las frases siguientes. Tendrás que relacionar también las dos partes de las frases.

a. *Cuando sea mayor* — *pintaré.*
b. *Cuando me jubile* — *cogeré otra vez la moto.*
c. *Cuando termine los exámenes* — *nos casaremos.*
d. *Cuando salga de aquí* — *seré futbolista.*
e. *Cuando tengamos bastante dinero* — *me iré a la playa.*

Práctica

A Subraya la opción correcta en las frases siguientes.

1. Cuando *vengas / vendrás* esta noche, no hagas ruido.
2. Cuando *soy / sea* mayor viajaré por todo el mundo.
3. Cuando *estuve / esté* en Atenas vi el Partenón.
4. ¿Cuándo *vendrás / vengas* a verme otra vez?
5. Cuando no *teníamos / tengamos* hijos salíamos los fines de semana.
6. Cuando *tendré / tenga* un poco de tiempo libre me apuntaré a un gimnasio.
7. Cuando *llegue / llegará* tu madre, avísame.
8. ¿Cuándo *llegará / llegue* el avión procedente de Río?
9. ¿Cuándo *llegó / llegue* esta carta?
10. ¿Cuándo vas a *ir / vayas* al médico otra vez?
11. No te olvides de llevar esta chaqueta al tinte cuando *vayas / irás* a comprar el pan.
12. Le dieron la noticia cuando se *levantó / haya levantado* por la mañana.
13. El jefe de Marta es bastante exigente, cuando Marta se *equivoca / equivoque*, le echa unas broncas exageradas.
14. Los domingos por la mañana, cuando no *tenemos / tengamos* nada especial, salimos a dar un paseo por el parque que hay cerca de mi casa.

B En este texto aparecen algunos consejos para los padres. Relaciona las dos partes de la frase.

19 de marzo

DÍA DEL PADRE

Cuando tu hijo...

te busque con su mirada,	acompáñalo.
te tienda sus brazos,	abrázalo.
te quiera hablar,	juega con él.
se sienta solo,	consuélalo.
te pida que lo dejes,	anímalo.
se sienta triste,	acógelo.
te pida jugar con él,	míralo.
te pida volver,	escúchalo.
pierda la esperanza,	déjalo.

Colegio Público "El Olivo"

24. *Mientras tú haces la comida, yo paso la aspiradora.*

Oraciones temporales (*hasta, después, antes, mientras, en cuanto*)

Situaciones

1. *Tan pronto como, en cuanto, mientras, siempre que, hasta que*

- Las oraciones subordinadas introducidas por los nexos anteriores, al igual que ocurría con las de *cuando*, llevan el verbo en:
  a) Indicativo. Cuando se refieren al pasado o al presente.
  En cuanto ***salieron*** *mis padres, llamé a David.*
  En cuanto ***salen*** *mis padres, me pongo a hablar con David.*
  b) Subjuntivo. Cuando se refieren al futuro.
  En cuanto ***salgan*** *mis padres llamaré a David.*

- *Hasta* admite también el verbo en infinitivo:
  Luchó hasta que murió. Luchó hasta morir.

2. *Desde que*

- Se utiliza siempre con indicativo.
  No he visto a Lola desde que ***terminamos*** *el curso de Informática.*

3. *Antes de (que)*

- Lleva el verbo en infinitivo cuando el sujeto de la oración principal y el de la subordinada es el mismo.
  Iré a verte antes de ***comer****. Se marchó* (él) *antes de que* ***llegara*** *yo.*

- Lleva el verbo en subjuntivo cuando el sujeto de la oración principal y el de la subordinada son diferentes.
  Se marchó (él) *antes de que* ***llegara*** *yo.*

4. *Después de (que)*

- Se usa con inifinitivo cuando el sujeto de la oración principal y de la subordinada es el mismo.
  Salió después de ***ver****.*

- Se usa con subjuntivo cuando se refiere al futuro.
  Saldré después de que tú me ***llames****.*

- Puede usarse el indicativo o el subjuntivo cuando nos referimos al pasado.
  Murió poco después de que le ***dieran / dieron*** *el Premio Cervantes.*

■ Completa con una conjunción temporal y relaciona con las imágenes.

a. ______________ termine los estudios montaré mi propio negocio de informática.

b. Viviremos juntos ______________ la muerte nos separe.

c. ______________ Carmen trabaja, Alicia ve la tele.

d. Vimos a Ernesto ______________ volvió de las vacaciones.

Práctica

A Formula preguntas y respuestas como en el ejemplo.

1. Hacer la comida / volver de la compra.
   A. ¿Cuándo vas a hacer la comida?
   B. En cuanto / Cuando vuelva de la compra.
2. Comprar las entradas / tener tiempo. ______________________.
3. Llamar a tus padres / salir del trabajo. ______________________.
4. Comprar otro ordenador / cobrar el sueldo. ______________________.
5. Pintar la casa / darme vacaciones. ______________________.
6. Cambiar de piso / encontrar otro mejor. ______________________.
7. Acostarse / terminar la película de la tele. ______________________.

B Elige la opción correcta. Algunas veces son correctas las dos.

1. Iré a verte ~~tan pronto como~~ / *hasta que* salga del trabajo.
2. Rosalía tuvo muchos problemas con su novio *antes de / en cuanto* casarse.

3. *Antes de que / Después de que* me llamaron, ya no pude dormir más.
4. El matrimonio fue bien *mientras / hasta que* él tenía trabajo, pero luego se estropeó.
5. La carta llegó *mientras / cuando* estábamos comiendo.
6. Iremos a ver el Museo del Prado *después de / tan pronto como* comer.
7. *Hasta que / En cuanto* sepa algo, te llamo.
8. No se aceptan cambios *después de que / mientras* salgan de la tienda.
9. *En cuanto / Mientras* llegue a mi casa me voy a dar una buena ducha.
10. *Mientras / Cuando* Alicia estuvo enferma Fernando la visitó varias veces.
11. Yo creo que perdí el paraguas *cuando / antes de* subir al autobús.
12. Los bomberos atendieron a los heridos *hasta que / antes de que* llegaron las ambulancias.

C Primero forma la frase en futuro y luego, en pasado. Sigue el modelo.

1. Comer (nosotros) / venir (ellos).
   Nosotros comeremos / vamos a comer antes de que vengan ellos.
   Ayer comimos antes de que vinieran ellos.
2. Salir (yo) / llegar Roberto.
   ___
3. Terminar (nosotros) el trabajo / volver la jefa.
   ___
4. Llamar a mi madre (yo) / irse a la compra (ella).
   ___
5. Ver esta película (nosotros) / quitar (ellos) de la cartelera.
   ___
6. Dar el regalo a Luis (yo) / irse de viaje (él).
   ___

D Relaciona.

No vengas a mi casa	antes de	ir al juicio.
Tienes que estudiar más	antes de que	suban más los precios.
Se fue		ir a recoger el coche del taller.
Recibió tres citaciones del juez		hacer los exámenes.
Ve a comprar las entradas,		yo le contara nada.
Vamos a comprarnos un piso,		yo te llame.
Llama por teléfono		se agoten.

E **Completa las frases con el verbo en el tiempo adecuado.**

1. Cuando *se jubilaron* se fueron a vivir a la costa. (jubilarse, ellos)
2. Cuando ______________ nos iremos a vivir a la costa. (jubilarse, nosotros)
3. Vivieron aquí hasta que él ______________ otro trabajo mejor en Sevilla. (encontrar)
4. Cuando ______________ de pintar el cuadro, David se irá y no volveremos a verle. (terminar)
5. Isabel no quería salir con Eduardo, hasta que, al final, ______________. (acceder)
6. Yo cuidaré de ti hasta que tú ______________ la carrera y ______________ un trabajo. (terminar, encontrar)
7. Mientras ______________ la guerra no puedo volver a mi país. (durar)
8. Nos encontramos con Mayte y Rafa después de ______________ del cine. (salir)
9. Dice un proverbio que no conoces a una persona hasta que no ______________ con ella. (convivir)
10. No salgas hasta que no ______________ de llover. (dejar)
11. Paloma, ¿cuándo ______________ al fontanero? Este grifo no para de gotear. (llamar)
12. No sé cuándo ______________ Miguel de sus vacaciones, pero creo que el domingo porque el lunes tiene que empezar a trabajar. (volver)
13. Pon los aperitivos en la mesa, antes de que ______________ los invitados. (llegar)
14. Natalia se va a casa de sus abuelos después de ______________ del colegio. (salir)

F **En los anuncios publicitarios que siguen hemos borrado los verbos, escríbelos de nuevo. Utiliza los del recuadro.**

tocar necesitar agotar ~~cambiar~~ ver

1. Cuando *cambie* sus neumáticos, exija seguridad.

2. Cuando ______________ nuestros modelos de sofás, no los olvidarás.

3. Hasta que te ______________ la lotería, ¿por qué no ahorras un poco?

4. Piense en nosotros cuando ______________ hacer reformas en su casa.

5. Ahora puedes volar a Cancún a mitad de precio. Reserva antes de que se ______________.

25. *Le dijo que se callara.* Estilo indirecto (orden)

Situaciones

- Cuando utilizamos el estilo indirecto para repetir algo que se pide, ordena, aconseja o prohíbe, utilizamos el subjuntivo.
  - a) Si el verbo introductor (*decir*, *ordenar*, *pedir*, *aconsejar*, etc.) está en presente, utilizamos el presente de subjuntivo:
    Mamá dice que ***arregles*** *la habitación.*
  - b) Si el verbo introductor está en cualquiera de los tiempos del pasado, utilizamos el imperfecto de subjuntivo:
    El médico me dijo que ***dejara*** *de fumar.*
  - c) Si el verbo introductor está en pretérito perfecto (*ha dicho*) podemos utilizar el presente o el imperfecto de subjuntivo:
    El vecino le ha dicho que no ***haga / hiciera*** *más ruido por las noches.*

■ Completa el diálogo.

¿Cómo es?

Estilo directo		Estilo indirecto en presente o pretérito perfecto
"Siéntate"		*Dice / Ha dicho que te sientes*
Imperativo	→	Presente de subjuntivo
Estilo directo		**Estilo indirecto en pasado**
"Siéntate"		*Ha dicho / Dijo / Decía / Había dicho que te sentaras*
Imperativo	→	Pretérito imperfecto de subjuntivo

Práctica

A **Transforma en estilo indirecto.**

1.

Andrés:

Hoy llegaré más tarde, no olvides llevar a Roberto al partido de fútbol, tiene que estar allí antes de las 6. Y, otra cosa, recoge el abrigo de la tintorería, por favor.

Un beso, Mariola.

Roberto:

– ¡Papá! Mamá ha dejado una nota.

– ¿Y qué dice?

– Que *no olvides* llevarme al partido de fútbol, que ______ allí antes de las 6, y que ______ ______ el abrigo de la tintorería.

2.

Mariví:

No he podido terminar el informe, acábalo tú por mí, por favor, y déjaselo al jefe encima de la mesa. Es que tengo que ir al aeropuerto a recoger a un amigo.

Muchas gracias. Pablo.

Mariví:

– A ver..., Pablo ha dejado una nota en mi mesa.

– ¿Y qué dice?

– Que no ha podido terminar el informe, que ______ yo por él y que ______ al jefe encima de la mesa, que tiene que ir al aeropuerto. Siempre igual, estoy harta de hacer su trabajo.

B **Transforma en estilo indirecto utilizando los verbos del recuadro para introducir la oración (en alguna ocasión puedes utilizar más de uno).**

sugerir	pedir	aconsejar	prohibir	ordenar	recomendar

1. Cómprate un vestido bonito para la fiesta y ve a la peluquería.

   Su amiga le aconsejó que se comprara un vestido bonito y fuera a la peluquería.

2. No vuelvas a llegar a casa después de las 10.

   Su padre ______.

3. Préstame tu coche este fin de semana.

   Su amigo ____.

4. Estudia todos los días un poco y no faltes a clase.

   La profesora ____.

5. No juegues con el perro, puede morderte.

   Su madre ____.

6. ¿Me das dinero para ir al cine?

   Su hijo ____.

7. No puede conducir mientras está hablando por el móvil.

   El policía ____.

8. Ve a ver *Habana Blues*, es una película estupenda.

   Javier ____.

C Completa con el verbo en el tiempo adecuado.

1. ¿Por qué *habéis traído* tantas cosas? Ya os dije que no trajerais nada, que yo ______________ todo. (traer, comprar)

2. El Presidente ordenó a todos los miembros del Gobierno que no ______________ ninguna declaración sobre ese asunto. (hacer)

3. El policía prohibió a los conductores que ______________ en doble fila, pero algunos no hicieron caso. (aparcar)

4. Siempre le aconsejaba que no ______________ tan deprisa y que se ______________ el cinturón de seguridad. (conducir, poner)

5. La directora del colegio nos recomendó que le ______________ un profesor particular y que ______________ un poco más estrictos con él. (poner, ser)

6. Mis amigos me advirtieron de que no ______________ el coche en un lugar aislado porque podían robarme. (dejar)

7. En la manifestación de ayer los estudiantes exigían que se ______________ más en educación y menos en campañas militares. (invertir)

D **Transforma estas conversaciones en estilo indirecto.**

1.

– ¿Cuántos años de experiencia tiene?
– Llevo 10 años trabajando en una empresa similar a esta. Tome, este es mi *curriculum*.
– Muy bien, vuelva mañana y le haremos una prueba práctica.

En la entrevista de trabajo me preguntó ______________________________, yo le dije que ______________________________ y le di mi *curriculum*. Entonces él me dijo ______________________________, que ______________________________ una prueba práctica.

2.

– Cariño, cambia de canal, va a empezar el partido de fútbol.
– Lo siento, pero estoy viendo una película y ahora no me apetece nada ver el fútbol.
– ¿Cómo? ¡Pero si hace días que sabes que hoy es la final de la Copa!
– Mira, no pienso cambiar de canal, llama a Juan y ve a su casa a verlo, seguro que a su mujer no le importa.

Ella estaba viendo una película y entonces él le pidió que ______________________________ porque ______________________________. Ella le dijo que no le apetecía nada y él se quejó porque hacía tiempo que ______________________________. Pero ella insistió en que no ______________________________ cambiar de canal y le sugirió ______________________________ y ______________________________ porque seguro que a su mujer ______________________________.

E **Completa estos chistes con el verbo en el tiempo adecuado.**

1. Señor López, que dice mi abuelo que le ______________ (prestar) 300 euros, que en cuanto le toque la lotería se los ______________ (devolver).

2. Que dice mi abuelo que si le ______________ (poder) prestar el televisor para ver el sorteo de la lotería, y que si ______________ (querer), que ______________ (subir) usted a verlo con él a nuestra casa.

26. *Me extraña que no haya llamado.*
Pretérito perfecto de subjuntivo

Situaciones

1. Pretérito perfecto de subjuntivo

El pretérito perfecto de subjuntivo tiene los mismos valores temporales que el de indicativo. Se utiliza siempre que es necesario el modo subjuntivo.

Carlos se ha enfadado porque no lo invité a la fiesta. → *Es lógico que se* ***haya enfadado****.*

Jaime no puede venir y no nos ha avisado. → *Me molesta que no* ***haya llamado****.*

Sara no ha viajado nunca al extranjero. → *Es extraño que Sara no* ***haya salido*** *nunca de España, sus padres han viajado mucho.*

2. Presente y pretérito perfecto de subjuntivo

- Se usa el presente de subjuntivo cuando nos referimos al presente o al futuro.
  A. *Mi hija no estudia nada, estoy preocupada.* B. *Es una pena que tu hija no* ***estudie*** *más.*
  A. *No puedo ir con vosotros al concierto del domingo, tengo un compromiso.*
  B. *¡Qué pena que no* ***puedas*** *venir al concierto!, creo que va a ser muy bueno.*

- Se usa el pretérito perfecto cuando nos referimos a una acción acabada recientemente, o a una experiencia, sin especificar el contexto temporal.
  A. *¿Lucía?, no está, ya ha salido.* B. *¡Vaya! Qué pena que ya* ***haya salido****, quería darle un recado.*

  A. *¿Sabes?, este escritor ha escrito muchos libros.*
  B. *Me extraña que* ***haya escrito*** *tanto, yo no lo conozco de nada.*

■ Completa con los verbos del recuadro:

hayan acabado hayan despedido haya tocado

1

to be unemployed

1. A. ¿Es cierto que Roberto está en el paro?
   B. Sí, pero me parece muy extraño que lo haya ~~acabado~~ tocado, es muy trabajador.

2. Es estupendo que les ______________________ la lotería, ahora que tenían tantos problemas económicos.

3. ¡Qué pena que se ______________________ las entradas del concierto!

¿Cómo es?

Pretérito perfecto de subjuntivo		
Presente de subjuntivo del verbo *haber* + participio		
yo	haya	
tú	hayas	
él, ella, Vd.	haya	+ hablado, bebido, venido.
nosotros, -as	hayamos	
vosotros, -as	hayáis	
ellos, ellas, Vds.	hayan	

Práctica

A Completa el crucigrama con los verbos en pretérito perfecto de subjuntivo.

Horizontales:

1. Ver, ellos.
2. Poner, vos.
3. Leer, usted.
4. Decir, ellas.
5. Traer, tú.
6. Ser, ustedes.
7. Vivir, yo.

Verticales:

1. Estar, nos. *HAYAMOS ESTADO*
2. Hacer, yo.
3. Ir, él.
4. Romper, vos.

B Transforma las frases.

1. He aprobado el carné de conducir a la primera. — Es estupendo que *hayas aprobado el carné de conducir a la primera.*
2. El doctor Martínez no ha venido hoy. — Me extraña que ______.
3. Este año Rafa y Mayte no han ido de vacaciones. — Qué raro que ______.
4. María se ha marchado ya. — Es una pena que ______.
5. No he aprobado las matemáticas. — Qué pena que ______.
6. Juan no te ha esperado, se ha ido solo. — Me molesta que ______.
7. He estado en México una semana. — Qué bien que ______.

C Completa las frases con uno de los verbos del recuadro en pretérito perfecto de subjuntivo.

separarse · decir · llevar · venir · dejar · romper · ser · pedir · enterarse

1. Me molesta que no me *hayas dicho* la verdad, yo confiaba en ti.
2. A los niños no les ha gustado que no los ______ a la piscina.

3. A. Me parece fatal que el hijo de Rosa ____________ el cristal de la ventana y ella ni siquiera me ____________ disculpas.
B. No está tan claro que ____________ él, parece que había otros niños jugando a la pelota.
4. A. Es una pena que Javier y María ____________ justo después de la luna de miel.
B. ¿Que ya se han separado?
A. ¿No lo sabías? Es raro que no te ____________, lo sabe todo el mundo.
5. Me extraña mucho que no ____________ el Sr. Ramírez, llamó ayer para confirmar su cita.
6. Es raro que Jorge ____________ el trabajo que tenía, yo creía que estaba muy contento.

D Subraya el verbo adecuado.

1. A. Es raro que el jefe no *esté* / *haya estado* a estas horas en la oficina, ¿no te parece?
B. Sí, a mí también me extraña que *haya salido* / *salga* tan pronto.
2. Es imposible que *cierren* / *hayan cerrado* la panadería, acabo de ver salir a una señora.
3. Es increíble que *tengas* / *hayas tenido* tres niños en tan poco tiempo.
4. A. Feliz cumpleaños, Sara.
B. ¡Hola Javier! Gracias. Me encanta que *vengas* / *hayas venido*.
5. No es normal que Carlos *aprenda* / *haya aprendido* todos los verbos en tan poco tiempo ¡Si sólo lleva media hora estudiando!
6. A. ¿Sabes que ayer hubo un incendio en Madrid?
B. Sí, ya me he enterado, pero es raro que no se *publique* / *haya publicado* nada en el periódico de hoy.
7. Me extraña mucho que John *sepa* / *haya sabido* hablar español tan bien, sólo lleva en España seis meses.

E Relaciona.

1. Perdona que — a) hayas encontrado trabajo.
2. Perdona que — b) hayáis hecho los deberes.
3. Me alegro de que — c) cuando hayas terminado.
4. Espero que — d) te haya despertado tan temprano.
5. Avísame — e) haya llegado tarde.
6. Perdona que — f) no haya habido víctimas en el atentado.
7. Ojalá — g) no te haya escrito antes.

27. *Lo mejor es no contárselo a nadie.*
Uso y ausencia de artículos. Artículo LO

Situaciones

- Se usan los artículos determinados (*el*, *la*, *los*, *las*):

a) Cuando hablamos de algo que conocemos o ya se ha mencionado.
__El__ gato de __la__ vecina se ha escapado otra vez.

b) Cuando hablamos de las cosas como un "todo", con nombres no contables y nombres abstractos:
__La__ leche le sienta mal. / __El__ respeto a __los__ derechos humanos es una conquista __del__ siglo XX.

c) Con el verbo *gustar* y todos los verbos "le".
Le encantan __las__ películas de acción.

d) Es obligatorio con nombres de juegos, actividades de ocio o diversiones:
Ir __al__ cine. / Jugar __al__ escondite. / Jugar __al__ tenis.

e) Con partes del cuerpo, objetos personales o ropa, si tienen un valor posesivo:
Dame __la__ (~~tu~~) mano. / ¡Se han dejado __el__ (~~su~~) equipaje en __el__ aeropuerto!

f) Algunas veces podemos eliminar el sustantivo y dejar sólo el artículo:
A. *¿Esas son __las__ amigas de tu madre?* B. *No, son __las__ de la mesa de al lado.*

- Se usan los artículos indeterminados (*un*, *una*, *unos*, *unas*):

a) Cuando hablamos de algo por primera vez:
He visto __un__ gato precioso en el patio.

b) Cuando hablamos de la existencia de algo, con el verbo *haber*:
Hay __un__ chico en la puerta.
Excepto con nombres incontables o abstractos: *Hay agua en la nevera.*

c) Para hablar de una cantidad aproximada:
Tiene __unos__ 40 años.

d) Con sustantivos no contables, para hacerlos contables:
Primero tomó __un__ refresco y luego __una__ cerveza.

e) Con nombres abstractos que van acompañados de un adjetivo:
Sintió miedo. / Sintió __un__ miedo horroroso.

- No se usa artículo:
  a) Cuando se habla de la profesión:
  Mi mujer es arquitecta.
  Excepto si el nombre va acompañado de un adjetivo: *Es **una** arquitecta muy conocida.*

  b) Cuando nos referimos sólo a la clase o a la categoría a la que pertenece el objeto o la persona:
  Acaban de llegar del pueblo y todavía no tienen casa, viven con sus primos.

  c) Tras las preposiciones *de*, *con*, *sin*, cuando forman un complemento de sustantivo o de verbo:
  *dolor **de** cabeza / zapatos **de** tacón / hablar **de** política*

- Usamos el artículo neutro *lo*:
  a) Seguido de un adjetivo o de un adverbio, para sustantivarlo:
  ***Lo** bueno de ese trabajo es que está muy cerca de tu casa.*
  *Qué guapa está María, **lo** bien que le sienta ese vestido.*

  b) Para referirnos a una situación, hecho, frase o idea anterior:
  *Cuéntame **lo** que le pasó a tu hermano. / **Lo** de ayer no me gustó nada.*

■ Completa con los artículos *unas*, *lo*, *la*. En un caso no es necesario.

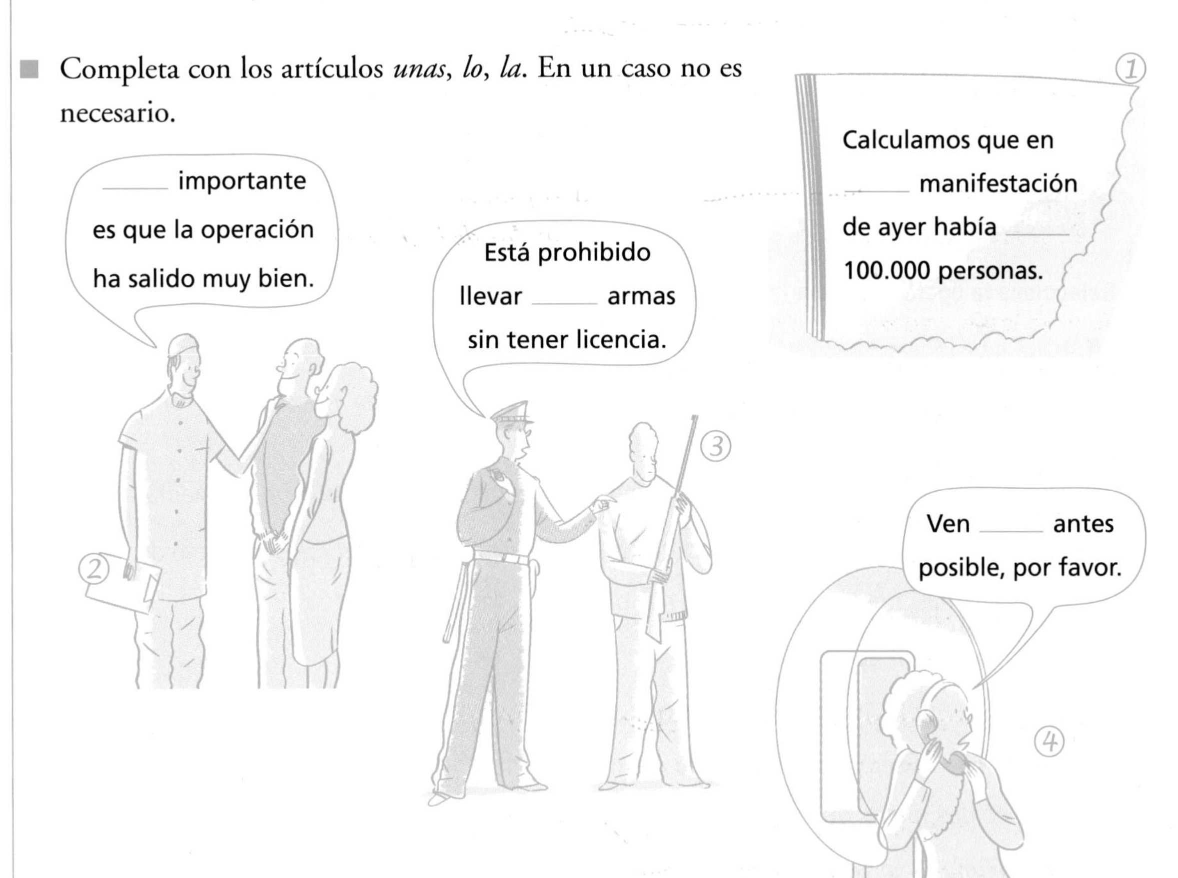

¿Cómo es?

Artículo determinado

1. Sólo puede llevar delante el determinante ***todo, -a, -os, -as***.
   Todos los *chicos llegaron tarde.*
2. Detrás puede llevar otros determinantes (no posesivos ni demostrativos).
   Las tres *hermanas resultaron heridas.*
   Los primeros *asientos estaban ocupados.*

Artículo indeterminado

Es incorrecto el uso de ***un, -a, -os, -as*** con ***otro, -a, -os, -as***:
No me gustan los toros, prefiero ~~***unos***~~ ***otros*** *espectáculos.*

Artículo *LO*

LO + ADJETIVO / ADVERBIO (*Ven **lo** más pronto posible.*)
LO + *DE* (*Explícame **lo** de tu vecina.*)
LO + *QUE* (*No sé **lo** que piensa.*)

Práctica

A Selecciona la opción correcta ("ø" es ausencia de artículo).

1. A. ¿Qué hiciste ayer?
   B. Fui de (*las / unas / ø*) compras y me compré (*la / una / ø*) falda y (*los / unos / ø*) pantalones cortos.
   A. ¡Qué suerte! Yo no puedo llevar (*los / unos / ø*) pantalones cortos porque me sientan fatal.
2. A. ¿Conoces a (*al / un / ø*) marido de Luisa? Me han dicho que es (*el / un / ø*) piloto de carreras.
   B. Sí, sí, además, creo que es (*el / un / ø*) piloto muy famoso.
3. A. ¿Quién es ese al que has saludado?
   B. Es (*el / un / ø*) profesor de la escuela.
4. A. ¿Sabes que Javier ya tiene (*la / una / ø*) novia?
   B. Sí, hace dos meses que viven juntos, tienen (*la / una / ø*) casa preciosa.
5. Vamos, (*la / una / ø*) señora, termine rápido, que hay (*la / una / ø*) gente haciendo cola.

6. A. ¿Necesitas (*la / una / ø*) harina para empanar los filetes?
   B. No, pero pásame (*el / un / ø*) aceite y (*la / una / ø*) sal de (*la / una / ø*) estantería.
7. He visto a (*al / un / ø*) vecino de arriba, tiene (*la / una / ø*) novia muy guapa.
8. Para conducir (*los / unos / ø*) camiones hay que tener un carné especial.
9. El documental duró (*los / unos / ø*) 20 minutos y al salir de (*del / un / ø*) cine fuimos a tomar (*las / unas / ø*) cervezas.
10. Me encantó (*la / una / ø*) película que me recomendaste, (*los / unos / ø*) actores eran buenísimos.
11. Jaime va a llegar tarde porque está jugando a (*al / un / ø*) golf con unos amigos.
12. A. ¿Les molesta (*la / una / ø*) música?
    B. Pues sí, es que estamos jugando a (*al / un / ø*) ajedrez y no podemos concentrarnos.
13. Cariño, si te duele (*la / tu / ø*) cabeza, acuéstate en (*la / una / ø*) cama y cierra (*los / tus / ø*) ojos, enseguida te llevo (*la / una / ø*) aspirina.
14. Vaya hombre, he olvidado (*el / un / mi*) pasaporte en la comisaría.

B Relaciona.

1. ¿Quién es la novia de Juan? → c)
2. ¿Cuál es tu coche?
3. ¿Quién es el malo de esta película?
4. ¿Quién hace ese ruido?
5. ¿Cuál es tu color favorito?
6. ¿Quién ha llamado por teléfono?

a) El deportivo negro.
b) Los de al lado, es que están de obras.
c) La del vestido verde.
d) El feo, el que no sabe montar a caballo.
e) La de la tienda de ropa.
f) El amarillo.

C Completa con los artículos adecuados. En el primer texto no hay que poner artículo en 6 ocasiones.

El (1) día que la conoció, hacía ya tres años, Silanpa volvía de hacer ____ (2) reportaje sobre ____ (3) extraño accidente en la Guajira. ____ (4) avión de carga lleno de ____ (5) flores había caído en medio de ____ (6) dunas sin que hubiera rastro de muertos ni sobrevivientes. ¿Saltaron ____ (7) pilotos en ____ (8) paracaídas? ¿Escaparon antes de que llegaran ____ (9) equipos de rescate? Misterio... No había registro de salida desde ningún aeropuerto de ____ (10) país y sólo se encontró ____ (11) esqueleto calcinado de ____ (12) avión en medio de ____ (13) montaña de ____ (14) claveles y ____ (15) rosas chamuscados y cubiertos de ____ (16) ceniza y ____ (17) hollín.

Santiago Gamboa, *Perder es cuestión de método*

PROGRESO Y RETROCESO

Inventaron ______ (18) cristal que dejaba pasar ______ (19) moscas. ______ (20) mosca venía, empujaba ______ (21) poco con ______ (22) cabeza y, pop, ya estaba de ______ (23) otro lado. Sentía ______ (24) alegría enorme.

Todo lo arruinó ______ (25) sabio húngaro al descubrir que ______ (26) mosca podía entrar pero no salir, o viceversa, a causa de no se sabe qué macana en ______ (27) flexibilidad de ______ (28) fibras de este cristal, que era muy fibroso. En seguida inventaron ______ (29) cazamoscas con ______ (30) terrón de azúcar dentro, y muchas moscas morían desesperadas. Así acabó toda posible confraternidad con estos animales dignos de mejor suerte.

Julio Cortázar, *Historias de Cronopios y de Famas*, texto adaptado

D Relaciona.

1. Reloj		a) descanso.
2. Escribir		b) azúcar.
3. Piano	de	c) bolígrafo.
4. Café		d) sal.
5. Bicicleta	con	e) niños.
6. Traducir		f) pared.
7. Equipaje	sin	g) cola.
8. Comidas		h) mangas.
9. Cosas		i) carreras.
10. Tren		j) diccionario.
11. Trabajar		k) mercancías.
12. Blusa		l) mano.

E Ordena las frases.

1. los todos son iguales hombres.

   Todos los hombres son iguales.

2. que tengas el todo dinero dame.

   ____.

3. otros los chicos no del barrio eran.

____.

4. personas las pocas que en cine el había se marcharon.

____.

5. tres atletas los primeros las medallas recibieron.

____.

6. doscientas unas personas se encerraron en iglesias cercanas otras.

____.

F Transforma las frases como en el ejemplo.

1. Es importante tener salud. *Lo importante es tener salud.*
2. Es bueno tener muchos amigos. _______________.
3. Es lógico que vuelva a llamarte. _______________.
4. Es normal que haga calor en estas fechas. _______________.
5. Es raro que aún no te haya llegado. _______________.
6. Es extraño que se compre una casa tan cara. _______________.

G Completa con los artículos si son necesarios.

1. A. ¿Qué hacemos con *el* coche?

   B. ______ mejor es que lo lleves a ______ taller, tienen que hacerle una revisión.

2. A. ¿Qué tal el examen?

   B. Lo hice ______ más rápido que pude pero no me dio tiempo a terminar.

   A. ¿______ de ______ otra clase ya han terminado?

   B. Sí, y ______ de 4.° también, sólo faltaba yo.

3. A. ¿Por qué te has enfadado tanto?

   B. Por ______ de antes, ______ que me ha dicho Carlos.

4. A. ¿Cuándo vas a pagarme ______ alquiler de ______ casa?

   B. Toma, esto es ______ del mes pasado. ______ próxima semana te pagaré ______ de este mes.

28. *Me acabo de levantar.*

Perífrasis verbales (*acabar de, llevar* + gerundio...)

Situaciones

1. *Acabar de, dejar de* + infinitivo expresan una acción que ha terminado:

a) Con *acabar de* + infinitivo expresamos algo que ha ocurrido hace muy poco tiempo:
A. *¿Quieres un café?* B. *No, gracias,* ***acabo de tomar*** *uno en casa.*

b) Con *dejar de* + infinitivo expresamos que se termina una acción que antes era habitual o frecuente: *Desde que Juan* ***dejó de fumar*** *se encuentra mucho mejor.*

2. *Volver a* + infinitivo expresa la repetición de una acción:

Este año ***volveremos a ir*** *al Caribe, porque el año pasado lo pasamos muy bien.*

3. *Llevar* + gerundio, *seguir* + gerundio expresan la continuidad de una acción que se desarrolla desde hace un tiempo. Le acompaña siempre la expresión de tiempo que indica el inicio de la acción:

Lleva viviendo *en Sevilla más de 10 años. /* ***Lleva*** *más de 10 años* ***viviendo*** *en Sevilla.*

► Esta perífrasis no se utiliza con los tiempos del pasado, excepto con el pretérito imperfecto.
Llevaba *3 años saliendo con él.*

► Para expresar la negación utilizamos *llevar* + *sin* + infinitivo.
Lleva sin trabajar *más dos meses. /* ***Lleva*** *más de dos meses* ***sin trabajar***.
Porque si ponemos sólo la palabra *no*, lo que negamos es la expresión de tiempo:
No lleva *viviendo aquí 3 años sino 4.*

► Con *seguir* + gerundio simplemente expresamos la continuidad de una acción.
¿Sigues viviendo *en las afueras?*

■ Relaciona las frases con los dibujos.

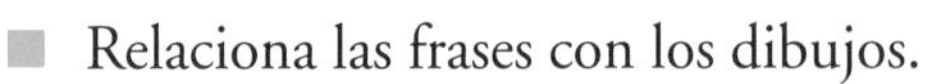

1. Acaba de levantarse. b
2. Sigue vistiendo como en los años 60. ____
3. Vuelve a tocarla otra vez, aún cometes muchos errores. ____

Práctica

A Construye frases como en el ejemplo.

1. Empezó a dormir la siesta a las 16 y son las 18.30 h.
   Lleva dos horas y media durmiendo la siesta.
2. Empezó a ducharse a las 8 y son las 8.30.
   ______________________________.
3. Los vecinos empezaron a discutir a las 15 y son las 16.30 h.
   ______________________________.
4. Su hijo empezó a estudiar Derecho a los 19 años y ahora tiene 25.
   ______________________________.
5. Katy empezó a trabajar en la academia a los 23 años y ahora tiene 42.
   ______________________________.
6. Mis compañeros vinieron a vivir a Valencia en 1998 y todavía viven aquí.
   ______________________________.

B Selecciona la opción adecuada.

1. A. ¿Sabes algo de Elena Orol?
   B. Pues mira, *acabo de encontrármela / dejo de encontrármela* (1) en la calle. Me ha dicho que *lleva viviendo / sigue viviendo* (2) en casa de sus padres, que empezó a trabajar para una multinacional y *acaba de estudiar / dejó de estudiar* (3) medicina.
   A. ¿Todavía no había terminado la carrera? ¿Cuánto tiempo *llevaba estudiando / seguía estudiando* (4)?
   B. Por lo menos 10 años, pero no, todavía no la ha terminado, dice que a lo mejor *vuelve a matricularse / deja de matricularse* (5) otra vez dentro de dos años.
   A. ¿Y qué sabes de Paula y de Carmen? *¿Llevas viéndolas / Sigues viéndolas* (6)?
   B. Sí, quedamos de vez en cuando y siempre me preguntan por ti.
   A. Qué bien, a mí también me gustaría *volver a verlas / acabar de verlas* (7). Llámame.

2. A. Oye, Ismael, ¿tu amigo *sigue trabajando / lleva trabajando* (8) en la tienda de informática?
   B. Sí, lleva ya más de 6 meses, ¿por qué lo preguntas?
   A. Porque se me ha estropeado el ordenador.
   B. *¿Acabas de comprarlo / Dejas de comprarlo* (9) y ya se ha estropeado?
   A. Sí, y no sé qué puedo hacer. He llamado a la tienda donde lo compré y dicen que no pueden arreglarlo.
   B. Pues *sigue llamando / vuelve a llamar* (10) otra vez, porque seguro que está en garantía.

29. *Aunque no me guste, tendré que ir al concierto.*
Oraciones concesivas

Situaciones

Las oraciones introducidas por *aunque* expresan una objeción que no impide que se cumpla la afirmación principal. Pueden llevar el verbo en indicativo o subjuntivo.

► Se utiliza el indicativo cuando se habla de hechos ciertos y constatados por el hablante. Tiene valor informativo y se refiere mayoritariamente al pasado o al presente.
*Aunque siempre **ha trabajado** mucho, no ha ahorrado nada.*
*Aunque no **tengo** ganas, voy a salir.*

► Se utiliza el subjuntivo:

a) Cuando el hablante se refiere a hechos que no conoce con seguridad y habla de conjeturas. Puede referirse al pasado, al presente o al futuro.
*Aunque **haya viajado** mucho al extranjero, parece que es la primera vez que sale de su país.*
*Aunque **estudie** todos los días cinco horas, no va a aprobar.*

b) Si la conjetura que hace el hablante es poco probable o imposible, se utiliza el imperfecto de subjuntivo y el condicional.
*Aunque **fuera** guapo, joven y rico, yo nunca **me casaría** con Antonio.*
*Aunque me **pagaran** bien, no **podría** trabajar de dependienta.*

c) También se utiliza el subjuntivo en la réplica a una afirmación sobre un hecho cierto y constatado que ha hecho el primer hablante. Tiene el valor de reforzar la objeción.
A. *¿Dices que vas a ir a la ópera? A ti no te gusta la ópera.*
B. *Ya, pero aunque no me **guste** tengo que ir para acompañar a mi madre.*

A. *No salgas a la calle, hace mucho calor, debemos estar a 40 ºC a la sombra.*
B. *No me importa, aunque **haga** calor voy a salir a dar una vuelta.*

En cualquier caso, siempre es posible utilizar el modo subjuntivo. En unos casos puede significar que la acción ha sido constatada pero que no importa, y en otros casos puede significar que el hablante no sabe si la acción que enuncia es verdad o no.
*Aunque **sea** rico, no es feliz* (= puede que sea realmente rico o puede que no).
*Aunque **es** rico, no es feliz* (= sabemos que realmente es rico).

Relaciona las frases con las imágenes.

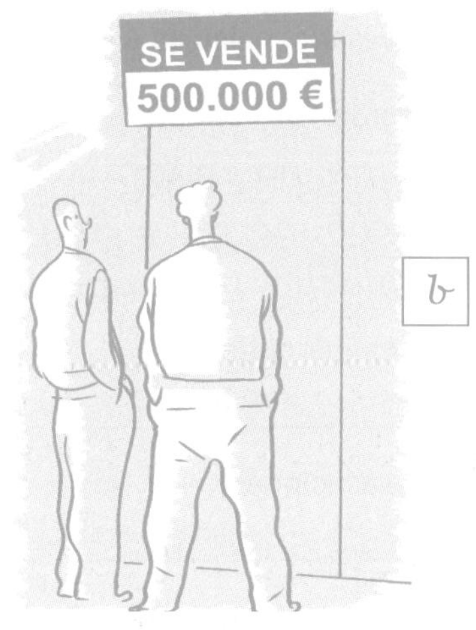

1. Aunque está bastante enferma, tiene buen humor. d
2. Sale a correr todos los días, aunque llueva a cántaros. ______
3. Aunque no tengamos mucho dinero nos compraremos el piso. ______
4. Aunque trabaje 12 horas diarias no podrá terminar a tiempo. ______

Práctica

A Relaciona.

1. Aunque no tenía dinero	a) no me compraría ese coche.
2. Aunque estaba nevando	b) su jefe no se enfada.
3. Aunque llegue tarde todos los días	c) no puede aprobar.
4. Aunque haya estudiado mucho	d) nunca sube en el ascensor.
5. Aunque fuera rico	e) terminaré de leer esto.
6. Aunque llegó tarde	f) se compró otro coche.
7. Aunque vive en un 6.º	g) salimos a pasear.
8. Aunque me duele la cabeza	h) no le dijeron nada.

B **Haz la transformación necesaria, como en el modelo.**

1. Comer mucho / no engordar.
   Aunque como mucho, no engordo. (hecho constatado y habitual)
   Aunque coma mucho, no voy a engordar. (hipótesis probable)
   Aunque comiera mucho, no engordaría. (hipótesis poco probable)
2. Vivir en el quinto piso / subir andando.
   ______________________________.
3. No tener dinero / ir de vacaciones.
   ______________________________.
4. Estudiar mucho / no aprobar el curso.
   ______________________________.
5. Correr mucho / no llegar a tiempo.
   ______________________________.
6. Trabajar muchas horas / ganar poco.
   ______________________________.
7. Le gusta la música / No va a los conciertos.
   ______________________________.

C **Replica estas afirmaciones, como en el ejemplo.**

1. A. Pepe, no vayas a ver esa película, es muy violenta.
   B. Aunque *sea* violenta voy a ir a verla, me han dicho que es muy buena.
2. A. No como pan porque engorda.
   B. Aunque el pan ________ un poco, tienes que comer de todo.
3. A. No compres el periódico, no trae nada interesante.
   B. Yo siempre compro el periódico, aunque no ________ nada interesante.
4. A. ¿Por qué vas a ver el partido del Real Madrid? Está perdiendo la Liga.
   B. Bueno, es que aunque ________ la Liga, es mi equipo favorito.
5. A. Amelia no irá a la boda de Andrés porque está enfadada con él desde hace tiempo.
   B. Yo creo que aunque ________ enfadada, irá. Antes eran muy amigos.
6. A. Este año no tengo ganas de ir de vacaciones a la playa, prefiero quedarme en casa sin hacer nada.
   B. Ya, pero tu madre espera que vayamos, aunque tú no ________ ganas.
7. A. ¿Vamos a las cuatro a comprar? Habrá menos gente.
   B. Aunque ________ más gente, yo prefiero ir a las seis o las siete.

D **Completa con el verbo más adecuado. A veces hay más de una posibilidad.**

1. Aunque nunca *ha estado* en Rusia, habla ruso estupendamente. (estar)
2. Aunque ____________ cansada, voy a hacer la comida para todos. (estar)
3. No pienso ir a esa reunión, aunque ____________ que es obligatorio. (decir)
4. Aunque ____________ andaluza no me gustan ni el flamenco ni los toros. (ser)
5. Nuria es muy trabajadora, aunque ____________ enferma nunca falta al trabajo. (estar)
6. Aunque ____________ Económicas no tiene ni idea de economía. (estudiar)
7. Sergio, aunque ya ____________ veinticinco años se comporta como un niño de doce. (tener)
8. No lo entiendo, aunque no ____________ a clase en todo el curso, ha aprobado todas las asignaturas. (ir)
9. Los vecinos del tercero, aunque no ____________ ricos, viven bastante bien. (ser)
10. A. ¿Qué tal la excursión de ayer?
    B. Bien, aunque no ____________ buen tiempo lo pasamos muy bien. (hacer)
11. Mis abuelos, aunque ____________ mayores, están bastante bien de salud. (ser)

E **Une los pares de frases siguientes en una sola oración. Utiliza los conectores del recuadro.**

aunque para que (2) como (3) porque (2)

1. No tenía trabajo en el pueblo. Se fue a la ciudad.
   Como no tenía trabajo en el pueblo, se fue a la ciudad.
2. Estábamos cansados. No fuimos a la fiesta.
   ____.
3. Estaba enfadada con Paula. La llamó para su cumpleaños.
   ____.
4. Se compró otro. El coche viejo no tenía aire acondicionado.
   ____.
5. Abre la ventana. Entrar el aire fresco.
   ____.
6. Llama a Luisa. Venir a comer a casa.
   ____.
7. No tenía dinero. No pude comprarme los zapatos.
   ____.
8. Julia se marchó antes. Tenía que ir a clase de flauta.
   ____.

¿Dónde se pone la tilde?
Acentuación

Situaciones

1. Reglas generales

- Las palabras **agudas** (la sílaba más fuerte es la última) llevan tilde si terminan en vocal, en *-n* o en *-s*:
  *habl**ar*** *Ma**drid*** *natu**ral*** *ma**má*** *com**pró*** *bom**bón*** *ca**fés***
- Las palabras **llanas** (la sílaba fuerte es la penúltima) llevan tilde si terminan en consonante distinta de *-n* o de *-s*:
  ***ca**lle* *in**gle**sa* ***ha**blo* *i**ma**gen* ***fá**cil* ***ál**bum* ***Sán**chez*
- Las palabras **esdrújulas** (la sílaba más fuerte es la antepenúltima) llevan tilde siempre:
  *te**lé**fono* *e**xá**menes* ***tí**picas* ***dí**melo* ***mé**dico*

2. Diptongos e hiatos

- En español las vocales se dividen en dos grupos:
  a) Vocales fuertes: *a / e / o*. b) Vocales débiles: *i / u*.
- Si aparecen dos vocales fuertes juntas, pertenecen a sílabas distintas (**hiato**) y siguen las reglas generales de acentuación:
  ve**-o* *cre-**ar *campe-**ón*** *estro**pe**-e* *estrope-**é*** ***ca**-os*
- Si aparecen juntas una vocal fuerte + una vocal débil, forman una sola sílaba (**diptongo**) y siguen las reglas generales de acentuación:
  ra**-dio* *his-**to**-ria* ***e**-rais* *es-cu-**cha**-bais* ***a**-gua* *a-**máis *con-ti-**nuó** (él)*

  Sin embargo, si el acento cae en la vocal débil, es obligatorio acentuarla, aunque a veces no se corresponda con las reglas generales. De esa manera las vocales se separan en dos sílabas diferentes (se rompe el diptongo):
  *con-ti-**nú**-o (yo)* *ha-**cí**-as* *re-**í*** ***mí**-o* *pa-**ís***
- Si aparecen juntas dos vocales débiles también forman una sola sílaba:
  ***rui**-do* *cui-**da**-do*
- **Las palabras interrogativas y exclamativas** *qué, quién, cómo, cuándo, cuál, dónde, cuándo, cuánto*, siempre llevan acento:
  *¿**Qué** quieres? / ¡**Qué** rico!*

¿**Quién** es ese señor?

El vecino de arriba, no sé **cómo** se llama.

El acento sirve para distinguir palabras:

dé: *No le **dé** caramelos al niño.* (verbo *dar*)

él: *Yo sí quiero, pero **él** no.* (pronombre)

mi: ***Mi** casa es pequeña.* (determinante)

se: ***Se** cayó al suelo.* (pronombre)

si: ***Si** quieres voy a verte.* (conjunción condicional)

te: *Siempre **te** acuestas muy tarde.* (pronombre)

tu: *¿**Tu** coche es nuevo?* (determinante)

de: *Ir **de** compras.* (preposición)

el: ***El** abrigo está en el armario.* (artículo)

mí: *¿Eso es para **mí**?* (pronombre)

sé: *Lo **sé** todo.* (verbo *ser*)

sí: *Nosotros **sí** iremos.* (adverbio)

té: *¿Prefieres **té** o café?* (sustantivo)

tú: *¿Has sido **tú**?* (pronombre)

Práctica

A Divide las siguientes palabras en sílabas y pon la tilde cuando sea necesario.

1. Gracias *Gra-cias*
2. Farmacia ______
3. Aire ______
4. Religion ______
5. Bueno ______
6. Causa ______
7. Cuidado ______
8. Interrogacion ______
9. Vuelvan ______
10. Tambien ______
11. Recuerdo ______
12. Intuicion ______
13. Oido ______
14. Miercoles ______
15. Igualdad ______
16. Revolucion ______
17. Secretaria ______
18. Pais ______
19. Rio ______
20. Diez ______

B Escribe las tildes correspondientes.

1. A. ¿Quien ha abierto la puerta? ¿Has sido tu, Alvaro?
   B. No, ha sido tu hijo, dijo que tenia que salir corriendo y seguro que se le olvido cerrar.
2. Anoche la abuela se tomo un te y se acosto enseguida, porque estaba muy cansada.
3. A. Voy a salir a comprar, ¿que quieres que traiga?
   B. El pan y el periodico, el resto ya lo compre yo ayer.
4. Echeme un poco de azucar, por favor.
5. A. Tengo que ir a casa de Javier pero no se donde vive, ¿tu has ido alguna vez?
   B. Si, vive en las afueras, en una urbanizacion. Si quieres yo te acompaño.
6. ¡Que calor hace! En esta ciudad siempre pasa lo mismo, en verano te mueres de calor y en invierno de frio.
7. A. ¿Habia agua en el frigorifico cuando tu llegaste?
   B. Si, ya te lo dije antes. Despues llego Carlos y fue el el que se llevo la botella a su habitacion.
8. A. ¿De que conoces a esa chica?
   B. De casi nada, mi hermano la conocio en una fiesta y luego me la presento a mi.
9. A. ¿Cuando le vas a dar la noticia a tu padre?
   B. Dejame que se la de poco a poco, no quiero que se enfade.
   A. Pues si no se lo dices tu hoy mismo, se lo dire yo.
10. Callate, no hagas tanto ruido, que los niños estan durmiendo.
11. Ya veras como Raul vendra y lo arreglara todo.
12. Me molesto que Jose no viniera a la reunion de medicos.

C Acentúa estos textos.

1

De un dia para otro se echo encima el calor. No se si contribuiria eso a aumentar mi impaciencia. Volvia a casa a primera hora de la tarde y antes de entrar al baño, beber agua o ponerle comida al gato, me iba derecha al contestador. Nada. No habia mensaje ninguno del hombre alto. Escuchaba los otros, generalmente de Tomas o recados para el, con la esperanza de oir aquella voz que la memoria no conseguia reproducir pero que mi tendencia a la metafora asociaba a un color azul metalico.

Carmen Martín Gaite, *Lo raro es vivir,* texto adaptado

2

Elena estaba depilandose las piernas en el cuarto de baño cuando sono el telefono y le comunicaron que su madre acababa de morir. Miro el reloj instintivamente y procuro retener la hora en la cabeza: las seis y media de la tarde. Aunque los dias habian comenzado a alargar, era casi de noche por efecto de unas nubes que desde el mediodia se habian ido colocando en forma de techo sobre la ciudad. La mejor hora de la tarde para irse de este mundo, penso cogida al telefono mientras escuchaba a su marido que, desde el otro lado de la linea, intentaba resultar eficaz y cariñoso al mismo tiempo.

– Yo paso a recogerte –dijo– y vamos juntos al hospital. Tu hermano ya esta alli.

– ¿Y mi hermana? –pregunto–. ¿Quien avisa a mi hermana?

– Acabo de hablar con su marido y vendran esta misma noche en un avion que sale a las diez de Barcelona. No te preocupes de las cuestiones practicas. Arreglate y espera a que yo vaya por ahi.

Juan José Millás, *La soledad era eso*

3

La ciudad de Nueva York siempre aparece muy confusa en los atlas geograficos y al llegar se forma uno un poco de lio. Esta compuesta por diversos distritos, señalados en el mapa callejero con colores diferentes, pero el mas conocido de todos es Manhattan, el que impone su ley a los demas y los empequeñece y los deslumbra. Le suele corresponder el color amarillo. Sale en las guias turisticas y en el cine y en las novelas. Mucha gente se cree que Manhattan es Nueva York, cuando simplemente forma parte de Nueva York. Una parte especial, eso si.

Se trata de una isla en forma de jamon con un pastel de espinacas en el centro que se llama Central Park. Es un gran parque alargado por donde resulta excitante caminar de noche, escondiendose de vez en cuando detras de los arboles por miedo a los ladrones y asesinos que andan por todas partes y sacando un poquito la cabeza para ver brillar las luces de los anuncios y de los rascacielos que flanquean el pastel de espinacas, como un ejercito de velas encendidas para celebrar el cumpleaños de un rey milenario.

Carmen Martín Gaite, *Caperucita en Manhattan*

Mayúsculas, minúsculas, puntos y comas. Puntuación

Gramát

Situaciones

1. Signos de puntuación

- Utilizamos **punto (.)** al final de un periodo que tiene un sentido completo. No es necesario que el periodo sea largo. Cuando se pasa a otro asunto se pone punto y aparte.
  María llegó tarde. Venía cansada y sin ganas de hablar. Enseguida comprendí que pensaba dejarme.

- Utilizamos **coma (,)**:
  a) Para separar las enumeraciones: *María, Carlos y Juan se pusieron enfermos.*
  b) Para separar al vocativo del resto de la frase: *¡Clara, ven! / Ven, Clara, no te vayas.*
  c) Para separar las interrupciones, aclaraciones o incisos dentro de una frase:
  Eso, como ya te dije, no era verdad.
  El coche de Carlos, que era el más viejo de todos, llegó en último lugar.
  d) Con conectores como *pues, sin embargo, por tanto, no obstante*, etc.
  Tenía el vuelo reservado desde hacía más de dos meses, sin embargo, no se atrevió a hacer el viaje.

Ya lo dijo Sócrates:
"Sólo sé que no sé nada".

- Utilizamos **dos puntos (:)**:
  a) Delante de las citas:
  b) Detrás de las expresiones con las que empiezan las cartas: *Estimado señor: / Muy señor mío:*
  c) Para iniciar una enumeración: *Los signos de puntuación son: punto, coma, dos puntos…*

- Utilizamos los **puntos suspensivos (…)** cuando se interrumpe la frase dejando en suspenso su sentido: *En el zoo vimos muchos animales: elefantes, tigres, leones, pingüinos, delfines…*

- Utilizamos **comillas (" ")**:
  a) Para reproducir citas textuales.
  Machado: "Caminante, no hay camino, se hace camino al andar".
  b) Para los títulos de artículos, capítulos, etc.
  El último artículo del periódico fue: "Todo el mundo de vacaciones".

- En español los signos de interrogación (**¿?**) y de admiración (**¡!**) son dobles y no llevan punto al final, pero sí pueden llevar coma:
  ¿Qué?, ¿vas a salir hoy o no? / ¡Hola Iñaki! ¡Qué bien que hayas venido!

2. Mayúsculas y minúsculas

► Utilizamos las **letras mayúsculas**:

a) Al principio de un escrito y detrás de un punto.

b) En los nombres propios de personas, ciudades, ríos, continentes, etc.

Me llamo Juan García, soy valenciano, pero vivo en Madrid. Hace tres meses que empecé a trabajar en esta empresa de transportes.

c) Las palabras que expresan dignidad o poder público, y también los nombres y adjetivos que constituyen el título de una institución:

*El **P**apa, el **R**ey, el **P**residente del **G**obierno, el **M**inisterio de **E**ducación y **C**iencia.*

Pero no cuando se indica el cargo y el nombre de la persona:

El papa Juan XXIII, el rey Felipe II.

► Utilizamos las **letras minúsculas**:

a) Para los meses, estaciones del año y días de la semana (*enero*, *primavera*, *lunes*, etc.).

b) Para los nombres de religiones (*católica*, *musulmana*, etc.).

c) Para los puntos cardinales (*norte*, *sur*, *este*, *oeste*), excepto si son parte de un nombre propio (*América del Norte, América del Sur*).

Nací un domingo del mes de enero en un pequeño pueblo de América del Sur. Mi padre era musulmán, y mi madre, católica. Dicen que aquel invierno soplaron fuertes vientos del norte que arrastraron cientos de casas de los barrios más pobres.

3. División de palabras

► En textos escritos las palabras pueden dividirse al final de la línea con un guión (-), pero hay que tener en cuenta algunas reglas:

a) Una consonante entre dos vocales forma sílaba con la segunda vocal: *ca-ji-ta*.

b) Dos consonantes entre dos vocales forman sílaba cada una con la vocal que está a su lado: *con-se-cuen-cia*, *se-gun-do*. Pero si la segunda consonante es "l" o "r", las dos forman sílaba con la segunda vocal: *a-bra-zo*, *ha-blar*.

c) Si hay tres consonantes entre dos vocales, las dos primeras van con la vocal primera y la tercera con la vocal última: *trans-por-te*. Pero si la tercera es "l" o "r", la primera consonante va con la primera vocal y las otras dos van juntas: *com-pren-der*.

d) Cuatro consonantes entre vocales forman sílaba, dos para la anterior y dos con la siguiente: *cons-tru-yo*, *ins-crip-ción*.

Práctica

A Divide las siguientes palabras en sílabas y escribe mayúscula o minúscula.

1. domingo *do-min-go*	4. inglaterra ____	7. atlántico ____
2. septiembre ____	5. argentina ____	8. otoño ____
3. transformar ____	6. islámico ____	9. transparente ____

B **Puntúa los textos con los signos de puntuación adecuados.**

1. Cuando era más joven me levantaba temprano comía algo ligero y salía al parque a hacer un poco de ejercicio. Ahora mis hábitos han cambiado me levanto bastante más tarde desayuno tranquilamente en casa después bajo a comprar el periódico me doy una vuelta por el barrio y vuelvo a casa cuando es casi la una con el tiempo justo para hacerme la comida.

2.

Raquel y los niños se fueron a la piscina Hacía uno de esos días soleados del mes de junio La hija pequeña Marita estaba impaciente porque era su primer día de baño sin embargo el hijo mayor Juan Carlos había ido sin ganas porque prefería ver un partido de fútbol que ponían a esa hora en la tele.

El señor de la taquilla al que conocían desde hacía muchos años les sonrió como siempre y le preguntó a Raquel por su marido por su madre y por una de sus mejores amigas Amelia que solía acompañarla cuando iba a la piscina.

Mientras la madre hablaba con Roberto el taquillero Marita se soltó de la mano de su hermano y salió corriendo en dirección a la piscina Juan Carlos la siguió con la mirada pensando que se detendría en cualquier momento pero la niña no se paró y el hermano al darse cuenta de que se iba a caer salió corriendo y la agarro justo cuando uno de sus pies estaba probando la temperatura del agua.

C **Escribe las mayúsculas y los signos de puntuación necesarios.**

1. aunque me lo pida mil veces no voy a volver con él. (,)
2. como no me contó nada de lo que había ocurrido tuve que preguntárselo a su hermana. (,)
3. A. oye juan vas a venir con nosotros a la playa el próximo sábado

   B. no quiero descansar necesito pasar un fin de semana tranquilo en casa. (¿ ?, , , ,)
4. A. quieres que le diga a jaime que te acompañe mañana

   B. no quiero ir con él prefiero ir solo. (¿ ? ,)
5. A. oyes ese ruido

   B. qué ruido yo no oigo nada. (¿ ¿ ? ?)

6. A. oye cómo se llama tu perro B. trapo y el tuyo (¿ ¿ ? ? , ,)
7. los estudiantes de mi grupo que son muy listos sacan buenas notas. (, ,)
8. los concursantes que llegaron tarde no podrán presentarse a las pruebas sólo admitiremos a los que llegaron a tiempo. (,)
9. tus amigos que llegaron tarde como siempre no consiguieron las entradas. (, ,)
10. así no vas a aprobar nunca es imposible. (,)
11. A. mamá no sé cómo pintar este dibujo me ayudas B. hazlo así con cuidado muy bien. (, , , . ¿ ?)
12. el presidente del gobierno que había sido elegido apenas un mes antes acudió al entierro del papa juan pablo II. (, ,)
13. todavía recuerdo lo que me decía la abuela siempre que discutíamos llevaos bien porque sólo os tenéis la una a la otra. (" " :)
14. he viajado por muchos países italia grecia turquía argelia egipto y en todos me he sentido siempre como en casa. (... , , , , :)
15. A. qué estás leyendo. B. una novela de garcía márquez el coronel no tiene quién le escriba. (¿ ? " " :)
16. A. estas leyendo B. pues sí me encanta leer a ti no. (¿ ? ¿ ? , ,)

D Completa este correo con las mayúsculas y los signos de puntuación necesarios (. / , / : / ¿ ?).

Mensaje nuevo

Enviar Chat Adjuntar Agenda Tipo de letra Colores Borrador

Para: yolanda@eresmas.com

Cc:

Asunto: PARA YOLANDA

querida yolanda
te escribo porque no tengo otra forma de localizarte ayer te llamé varias veces pero no estabas en casa y hoy lo he intentado también y nada asi que te mando este correo porque seguro que aunque estes ya en la playa podrás entrar en internet y leerlo
lo que queria decirte es que ayer como era sábado y no tenía que trabajar fui al centro comercial a hacer unas compras y sabes lo que me pasó me robaron la cartera y se lo llevaron todo los carnés el dinero las tarjetas de crédito me quitaron hasta las fotos de carlitos cuando era pequeño
todo esto complica mucho mi viaje a la playa porque imagínate ahora tengo que volver a hacerme los carnés y eso tardará unos cuantos días así que no creo que pueda estar el fin de semana con vosotros de verdad que lo siento mucho
da recuerdos a tu marido y dile a elena que llamaré pronto
besos para todos

32. *Me gustaría que vinieras.*
Correspondencia de tiempos entre el verbo principal y el verbo subordinado en subjuntivo

Situaciones

1. Oraciones de relativo

► Presente de indicativo > presente / pretérito perfecto / imperfecto de subjuntivo.
*Necesitan a alguien que **sepa** francés.*
*Necesitan a alguien que **haya trabajado** en el mismo campo.*
*Necesitan a alguien que **trabajara** anteriormente en ese tema.*

► Pretérito imperfecto / pretérito indefinido > pretérito imperfecto de subjuntivo.
*Necesitaban a alguien que **supiera** francés.*

2. Oraciones finales

► Presente de indicativo > presente de subjuntivo.
*Vengo para que **me informen** de los descuentos.*

► Pretérito indefinido / pretérito imperfecto > pretérito imperfecto de subjuntivo.
*Vino para que le **informáramos** de los descuentos.*

► Pretérito perfecto > presente o pretérito imperfecto.
*Ha venido para que **le informen / informaran** de los descuentos.*

3. Oraciones sustantivas (*Es lógico que…, me molesta que…*)

► Presente de indicativo > presente / pretérito perfecto / pretérito imperfecto de subjuntivo.
*Es raro que no **venga** el domingo a la cena.*
*Es raro que no **haya venido** a la cena.*
*Es raro que no **viniera** a la cena del domingo pasado.*

► Pretérito indefinido / imperfecto > pretérito imperfecto de subjuntivo.
*Me molestó que no **vinieras** a mi casa. / Me molestaba que no **llamara** antes de venir.*

► Pretérito perfecto > pretérito perfecto / pretérito imperfecto de subjuntivo.
*Me ha molestado que no me **haya llamado**. / Me ha molestado que no me **llamara**.*

4. Verbo principal en forma condicional

Condicional > pretérito imperfecto de subjuntivo.
*Me gustaría que **salieras** un poco más. / Sería conveniente que **fueras** al médico.*

Práctica

A Subraya la opción adecuada.

1. Espero que todo *salga* / *saliera* bien mañana.
2. Ella esperaba que su jefe *esté* / *estuviera* satisfecho del trabajo que ha hecho.
3. Fue a ver al médico para que le *haya examinado* / *examinara* la rodilla.
4. Qué pena que ayer no *vinierais* / *vengas* a la boda. Estuvo muy bien.
5. Será mejor que *salgamos* / *saliéramos* antes de las ocho, por si hay atasco en la carretera.
6. Es necesario que *hables* / *hablaras* con tu hijo del problema que tenéis.
7. Me molestó que mis amigos no me *llamen* / *llamaran* el fin de semana pasado para ir de excursión.
8. Yo esperaba que Rafa y Mayte me *consultasen* / *consulten* antes de decidir algunas cosas.
9. Deseaba que sólo *sea* / *fuera* un sueño, pero era realidad.
10. Le encantaría que alguien le *regale* / *regalara* un buen diccionario.
11. Te ha llamado Ernesto para que le *devuelvas* / *hayas devuelto* el coche.
12. Me dijo que vendría cuando *tenga* / *tuviera* tiempo.

B Completa con el verbo en el tiempo adecuado de subjuntivo. Algunas veces hay más de una opción.

1. Me alegraría mucho que *vinierais* a mi casa de la playa.
2. Es lógico que tu madre ________ preocupada por la enfermedad de tu hermana. (estar)
3. Estaban buscando un piso que ________ tres dormitorios, pero al final han comprado uno de dos. (tener)
4. Es conveniente que ________ zumo de limón con miel para el dolor de garganta. (tomar, tú)
5. Es raro que los vecinos no nos ________ anoche de que el ascensor estaba estropeado. (avisar)
6. Cierra la ventana para que no ________ el polvo. (entrar)
7. Cerré la ventana para que no ________ el polvo. (entrar)
8. Vendrá Julia mañana para que le ________ los verbos irregulares. (explicar, tú)
9. Es muy triste que nadie ________ de ti el día de tu cumpleaños. (acordarse)
10. A mi madre no le gustó nada que yo ________ tan tarde de la fiesta. (volver)
11. Es un chico muy inteligente, encontrará trabajo donde se lo ________. (proponer)
12. Mi padre quería que ________ Periodismo, pero yo preferí Derecho. (estudiar, yo)
13. ¿Conoces a alguien que ________ un perrito? Es que tengo dos. (querer)
14. Eduardo les pidió a sus compañeros que no ________ a verle al hospital, le deprimen las visitas. (ir)

33. *Para terminar.*

Repaso

Práctica

A Completa la noticia con los verbos en la forma adecuada (pretérito imperfecto o pretérito indefinido) (unidad 1).

UN PASAJERO OLVIDA EN UN TAXI 24.000 EUROS Y UN CHEQUE

Un hombre *se olvidó* (1) el pasado 21 de octubre en un taxi de Madrid dinero en efectivo que ________ (superar) (2) los 24.000 euros y varios cheques al portador por valor de unos 1.800 euros, que ________ (llevar) (3) en una bolsa de mano. El protagonista del extravío, un vecino de Madrid que ________ (identificarse) (4) como médico, ________ (ofrecer) (5) una gratificación de 3.000 a 6.000 euros a quien le devolviera el dinero, tras intentos infructuosos de recuperación a través de diferentes asociaciones de taxistas. Según ________ (relatar) (6), ________ (coger) (7) el taxi a las once menos cuarto de la mañana frente al hotel Miramar y su destino era la plaza de Colón. ________ (explicar) (8) que ________ (decidir) (9) hacer este pequeño trayecto en taxi porque aquella mañana ________ (llover) (10) y ________ (señalar) (11) que ________ (llevar) (12) la cantidad de dinero referida para adquirir material médico. Al pagar la carrera, el hombre ________ (buscar) (13) el dinero en su bolsillo, momento en que ________ (deber) (14) dejar la bolsa en el asiento, que allí ________ (quedarse) (15) cuando ________ (abandonar) (16) el vehículo.

Pasados unos minutos, el hombre ________ (darse) (17) cuenta del olvido, pero ya no ________ (poder) (18) encontrar al taxista.

B **Completa el texto con los verbos del recuadro en la forma adecuada (pretérito indefinido, pretérito imperfecto de indicativo y una vez el pretérito imperfecto de subjuntivo) (unidad 1).**

trasladarse	trabajar	participar	formar	estar	nacer
ser	llegar (2)	~~fallecer~~	interrumpir	llamar	

FALLECE A LOS 80 AÑOS EL ACTOR ANDALUZ JOSÉ M.ª ANTÓN

Se inició en el teatro profesional a los 35 años e intervino en más de 160 películas.

El actor andaluz José M.ª Antón *falleció* (1) anoche en su domicilio de Sevilla, a los 86 años de edad, a causa de un paro cardíaco. Hoy será enterrado en el cementerio de Sevilla.

Antón __________ (2) casado y __________ (3) padre de cuatro hijos. __________ (4) en Barcelona en 1920, __________ (5) sus estudios de Ingeniería a causa de la Guerra Civil. Hasta los 35 años __________ (6) como vendedor de electrodomésticos y, al mismo tiempo, __________ (7) en obras de teatro de aficionado. Su oportunidad __________ (8) de la mano del actor y director Adolfo Marsillach, quien lo __________ (9) para que __________ (10) parte de su compañía de teatro.

En 1960 __________ (11) a vivir a Madrid para trabajar en el cine. Durante toda su vida compaginó el cine –__________ (12) a intervenir en más de 160 filmes– con el teatro y la televisión.

C **En las frases siguientes hemos quitado los pronombres. Vuelve a ponerlos en su sitio (unidad 7).**

1. A. ¿Qué tal va el nuevo alumno?

   B. Muy bien, es un chico muy inquieto, interesa por todo.
2. Ana, ¿sabes dónde está mi libro de inglés?, no encuentro en ningún sitio.
3. A María no importa nada la opinión de los demás.
4. A algunos estudiantes no interesa nada lo que están estudiando, es una pena.
5. ¿A quién parece el bebé de Marta?
6. Anoche comí pescado y creo que no sentó bien.
7. No quejes del trabajo, piensa que hay otra gente que no tiene ninguno.
8. No digas a Antonio que estoy enfadada con él.
9. ¿Por qué quedaste en casa ayer?
10. ¿Cómo disfrazaste el día de Carnaval?
11. Di a Eduardo que llamaré por teléfono esta noche.
12. Desde que murió su marido, Elena siente bastante sola.
13. Mayte, da recuerdos a tu marido de mi parte.
14. Cuando Pilar contó lo que había pasado sentí fatal.
15. No fui a la boda de Pepa porque no invitó.
16. ¿Dijiste a Rosa y a Paco que no podíamos ir a cenar?
17. ¿Has preguntado al médico cuánto tiempo tienes que hacer reposo?
18. A. Ernesto, ¿acuerdas del primer viaje que hicimos a Argentina?

    B. Claro que acuerdo, perfectamente.
19. ¿Has dado cuenta de que Rosa está más delgada?
20. Parece que son unos maleducados, no han despedido de nadie.

D **En cada frase faltan algunos pronombres, escríbelos (unidad 7).**

1. Este vestido es precioso, cómpra*telo*.
2. Este es el sofá que me gusta. ¿pueden llevár____ ____ a casa?
3. Roberto dejó el trabajo que tenía, ¿no ____ ____ ha dicho?
4. Paco, encima de mi mesa hay unas gafas, ¿puedes traérme____ ____?
5. Ángel ____ ha contado una noticia, ____ ____ contaré mañana cuando ____ veamos.
6. A. ¡Qué cuadro tan bonito!

   B. ¿Te gusta? ____ ____ regaló Luisa para mi cumpleaños.
7. ¿Por qué ____ has comprado a la niña otros zapatos? Yo ____ compré ayer unos.
8. A. ¿Dónde está la solicitud de trabajo de Andrés Puerta?

   B. ____ ____ entregué ayer al jefe de Recursos Humanos.

9. A. ¿Quién tiene el informe sobre las medidas de seguridad en la Escuela?

   B. Debes tenerlo tú, ____ ____ di ayer antes de la reunión.

10. ¿Habéis hecho ya la declaración de la renta del Sr. Castro?

    B. Sí, y además ya ____ ____ hemos entregado personalmente.

11. A. Luis, ¿dónde está mi libro de cocina?

    B. ____ ____ presté a Rosa, ____ necesitaba para hacer una tarta de manzana.

12. He comprado el jarabe para el niño, dá________ cada ocho horas.

13. ¿Otra vez ____ ____ han olvidado las llaves dentro de la casa?, eres un desastre. (a ti)

14. ¿No ____ has dicho a tus padres que has suspendido? Dí________ cuanto antes, pues de lo contrario ____ enfadarán más.

15. A. ¿Dónde está tu reloj?

    B. ____ ____ ha caído al agua y ____ ha estropeado.

16. Víctor, aquí tienes la gorra, pón________ ahora mismo, hace mucho sol.

17. No ____ preocupes si no entiendes los pronombres españoles, yo ____ ____ explicaré esta tarde tranquilamente.

E **Completa el texto con las preposiciones correspondientes: *en*, *a*, *por*, *de*, *desde*, *hasta* (unidad 8).**

Machu Picchu, la ciudad perdida de los incas

Macchu Picchu se levanta en(1) un lugar casi inaccesible, situado ________(2) 2.360 metros ________(3) altitud y rodeado ________(4) las interminables montañas verdes ________(5) el Departamento ________(6) Cusco. Está tan escondido que, aún hoy, a pesar de todos los avances conseguidos ________(7) transportes, es difícil acceder ________(8) él.

Solamente hay dos formas ________(9) llegar: andando ________(10) través ________(11) el camino inca, o viajando ________(12) tren ________(13) Cusco ________(14) Aguas calientes y ________(15) allí ascender ________(16) pie o tomar un autobús. Pero tanto si se accede ________(17) el camino inca (puerta ________(18) Sol), como ________(19) la zigzagueante carretera, la entrada se hace ________(20) la parte sur ________(21) la ciudad.

F **Completa los titulares de noticias con una preposición (*en*, *para*, *por*, *sobre*, *sin*, *de*) (unidad 8).**

Avería *en* (1) la línea 9 ________ (2) metro.

MÁS AUTOBUSES ________ (3) EL BARRIO ________ (4) CARABANCHEL.

Hoy comienza una huelga ________ (5) limpieza.

Cierran una escuela ________ (6) las obras del metro.

EL AYUNTAMIENTO AUMENTA LOS SERVICIOS ________ (7) LA TERCERA EDAD.

________ (8) el Centro Cultural ________ (9) la Villa se celebran charlas ________ (10) la inmigración.

EL JUEZ INVESTIGA ________ (13) QUÉ MURIÓ UNA FAMILIA ________ (14) SU CASA.

Viajar ________ (11) cinturón ________ (12) seguridad es muy peligroso.

Medidas ________ (15) combatir el calor.

G **Completa con el verbo *ser* o *estar* en el tiempo adecuado (unidad 14).**

1. A. ¿Qué tal la niña? ¿Ya *está* mejor?
   B. Sí, ya se ha recuperado, ahora ________ en casa de la abuela.
2. No comas esos plátanos, ¿no ves que no ________ maduros todavía?
3. A. La reunión ________ dentro de media hora, ¿________ ya lista?
   B. Sí, sólo me falta encontrar el bolso, que no sé dónde ________.
4. A. ¡Qué simpática ________ Cristina! ¿________ casada?
   B. Sí, se casó hace dos años con un chico de su pueblo, que también ________ muy agradable y atento.
5. Vicente y Adela ________ muy orgullosos de su hijo, porque ha sacado las mejores notas de la clase. Sin embargo el mío ________ un inconsciente, lleva tres años repitiendo el mismo curso.

6. A. ¿Quién __________ esa chica, la que __________ de espaldas?
   B. __________ la jefa de Pepe, pero mejor no la saludamos, hoy __________ de muy mal humor.
7. A. ¿Por qué no ha venido Ana a la fiesta?
   B. Porque __________ de vacaciones.
8. A. Llevas una blusa preciosa, ¿__________ de seda?
   B. Sí, la compré ayer en una tienda del centro, __________ muy rebajada.

H **Completa esta conversación con las palabras del recuadro (unidad 15).**

había llegado	me	había tenido	podías	que	estaba	si	celebraríamos	vendría

A. ¿Qué te dijo ayer Miguel en el concierto?
B. Que *había llegado* (1) tarde porque su compañero __________ (2) enfermo y __________ (3) que hacer él su trabajo.
A. ¿Y del cumpleaños? ¿Va a venir o no?
B. __________ (4) preguntó __________ (5) lo __________ (6) el sábado o el domingo y le dije que mejor el sábado porque tú no __________ (7) el domingo, y me aseguró __________ (8) sí, que __________ (9).

I **Completa con el verbo en el indicativo, infinitivo o subjuntivo (unidades 13, 15, 17, 18, 19, 20).**

DETENIDO EL LADRÓN DE LAS GASOLINERAS

La policía detuvo el pasado sábado a Ernesto Fernández en un control instalado en la carretera Nacional IV con el objeto de *vigilar* (1) (vigilar) el consumo de alcohol durante los fines de semana. Según fuentes policiales, los agentes le hicieron señas para que __________ (2) (reducir) la velocidad, pero E.F. no lo hizo. Unos metros después le dieron las luces y se dirigieron a él por el megáfono con el fin de que __________ (3) (apartarse) hacia el andén y __________ (4) (detener) el vehículo. Ante su negativa, la policía se vio obligada a cortarle el paso y unos minutos después fue detenido y llevado a presencia del juez para que le __________ (5) (tomar) declaración.

El grupo Navajita Plateá

Ha sacado al mercado su único disco. Según uno de sus componentes, quizá este ________ (6) (ser) su disco más personal, porque han sido ellos mismos los que lo han producido y lo han hecho como querían. Opinan que el flamenco está evolucionando mucho, está mezclándose y abriendo vías alternativas, y quizá por eso ________ (7) (llegar) ahora a mucha más gente.

A. ¿Vamos a ir de *camping* el próximo fin de semana?
B. No creo, si ________ (8) (hacer) buen tiempo iríamos, pero me parece que va a llover.
A. ¿Qué les digo a mis amigos si me ________ (9)? (llamar)
B. Pues eso, que seguramente no iremos.

A. Si el jefe me ________ (10) (sube) el sueldo me compraré un coche nuevo y te regalaré a ti este.
B. ¿Y por qué no compras dos coches nuevos?
A. Ojalá ________ (11) (poder), hijo, pero la subida de sueldo no da para tanto.

¿QUÉ OPINAN LOS ALUMNOS DE ESPAÑOL SOBRE ESPAÑA?

➢ Me extraña que los españoles ________ (12) (cenar) tan tarde, pero me gusta que no ________ (13) (madrugar) tanto como en otros países.

➢ A mí me molesta que la gente ________ (14) (hablar) tan alto en los locales públicos, apenas puedo entender lo que me dicen y yo también tengo que gritar.

➢ Me sorprende que los jóvenes ________ (15) (besarse) y ________ (16) (abrazarse) en público.

➢ Me encanta ________ (17) (ver) siempre gente por la calle. A mis amigos de otros países les extraña mucho que los fines de semana ________ (18) (haber) atascos en la Gran Vía a las 3 de la madrugada, pero a mí ya me parece muy normal.

➢ Me da vergüenza ________ (19) (escuchar) algunas conversaciones privadas en el metro o el autobús, aquí la gente habla en alto de sus intimidades. No es que me moleste que lo ________ (20) (hacer), pero sí me da un poco de vergüenza.

➢ Me fastidia que la gente ________ (21) (pararse) en la calle y ________ (22) (ponerse) a hablar con cualquiera tapando toda la acera y no dejando sitio a los demás.

➢ Pues a mí eso me gusta, me encanta ________ (23) (hablar) con la gente en cualquier sitio, por ejemplo, en la parada del autobús. Ojalá en mi país se ________ (24) (hacer) lo mismo.

➢ A mí me extraña que los españoles ________ (25) (saludar) cuando vas a subir al ascensor. En mi país no decimos nada.

➢ A mí lo que más me molesta es que no ________ (26) (respetar) las normas. Por ejemplo, me parece fatal que la gente ________ (27) (fumar) en el metro justo debajo de la señal de prohibido fumar.

J Completa las frases (unidad 17).

1. Si tengo tiempo ______________________________.
2. Si llegas pronto ______________________________.
3. Si venís a casa mañana ______________________________.
4. Si vinieras a verme ______________________________.
5. Si fuera más alta ______________________________.
6. Si no vivieras tan lejos ______________________________.
7. Si te marchas pronto ______________________________.

K Completa las frases con el verbo en indicativo o subjuntivo. En algunos casos existen las dos posibilidades (unidad 21).

1. Dame los libros que te *sobren / sobran*.
2. En Praga conocí a una periodista que ______________ de corresponsal en Barcelona hace 10 años. (estar)
3. El pollo con mole que ______________ Fernando estaba riquísimo. (hacer)
4. La bicicleta que me ______________ el año pasado mis padres para mi cumpleaños no era muy moderna. (regalar)
5. Esto no hay quien lo ______________. (leer)
6. Tómate el tiempo que ______________, no hay prisa. (necesitar)
7. Haz lo que te ______________ mejor. (parecer)
8. No es una mujer que ______________ mal su trabajo. (hacer)
9. Cuéntame una película que te ______________ mucho. (gustar)
10. Haz lo que te ______________ el médico. (decir)
11. Los estudiantes que ______________ a la excursión tienen que apuntarse ahora. (ir)
12. No hay que creer todo lo que ______________ la gente. (decir)
13. Julia se pasa el día hablando por teléfono con quien ______________. (querer).
14. No conozco a nadie que ______________ la paella como Eduardo. (hacer)

L Completa con el verbo en el tiempo adecuado (unidad 24).

1. Habitualmente regresaba a casa en cuanto *terminaba* sus clases.
2. No dejó de llorar hasta que los niños (marcharse) ________________.
3. Llama a Paloma antes de que (marcharse) ________________ a trabajar.
4. No pienso dejar de protestar hasta que estos pesados (marcharse) ________________ de aquí.
5. En cuanto (llamar) ________________ al timbre, el padre de Ángel me abrió la puerta y me hizo pasar al salón.
6. Por la mañana, antes de que nadie (levantarse) ________________, Ramón cogió el coche de su padre y desapareció.
7. Se irán cuando a ellos les (convenir) ________________, no antes.
8. Un hombre de la ciudad cuando (encontrarse) ________________ en el campo, está en desventaja.
9. El hombre se presentó, me dio la mano, mientras con la otra (señalar) ________________ a la puerta de su tienda.
10. Me iré de aquí en cuanto me (pagar) ________________ el dinero que me deben.
11. En el amplio salón de juegos, unos hombres jugaban al billar, mientras otros cuantos los (observar) ________________.
12. Cuando nosotros (llegar) ________________, ya había otras seis personas comiendo en la misma mesa.
13. Le dieron la noticia por la mañana, cuando (levantarse) ________________.
14. No te olvidaré mientras (vivir) ________________.
15. Puedes llamarme por teléfono siempre que (querer) ________________.
16. Te escribiré en cuanto me (dar) ________________ tu dirección de correo.
17. Se separó de su marido después de que le (dar) ________________ el Premio Nobel.
18. El concierto no empezó hasta que todos los músicos (no estar) ________________ preparados.
19. Vete rápido, antes de que te (ver) ________________ los vecinos.
20. Saldremos de compras cuando (hacer) ________________ menos calor.

M Selecciona el artículo adecuado (unidad 27).

Mateo Orellán acababa de recoger (una / la / ø)(1) corbata y (un / el / ø)(2) pantalón de la tintorería. A (unas / las / ø)(3) nueve estaba invitado a (una / la / ø)(4) recepción en (una / la / ø)(5) Fundación Kiev y no tenía qué ponerse. Aun contando con (una / el / ø)(6) pantalón y (una / la / ø)(7) corbata iba a costarle encontrar (una / la / ø)(8) camisa bien planchada, (una / la / ø)(9) chaqueta decente. Inquieto por esta trivialidad entró (en / una / la / ø)(10) cocina y encendió maquinalmente (una / la / ø)(11) radio. Mientras preparaba un café escuchó la noticia.

Al principio ni siquiera pensó que (unas / las / ø)(12) dos iniciales de (una / la / ø)(13) joven, L.B., (de un / del / de)(14) origen cubano, muerta por azar en el tiroteo, correspondieran a Laura Bahía. Se había producido (un / el / ø)(15) fuego cruzado, (un / el / ø)(16) ajuste de cuentas en (una / la / ø)(17) calle Argumosa, (un / el / ø)(18) mexicano de (unos / los / ø)(19) cuarenta años había recibido tres disparos, otro hombre había huido y (una / la / ø)(20) bala perdida se había alojado en (un / el / ø)(21) cráneo de (una / la / ø)(22) joven, quien vivía en un inmueble sito en (una / la / ø)(23) misma calle y se disponía a salir de él.

(...)

El locutor dio paso a (un / el / ø)(24) diputado de (una / la / ø)(25) Asamblea de Madrid y éste criticó la tardanza en atender a (una / la / ø)(26) joven por parte tanto de la policía como del servicio de (unas / las / ø)(27) ambulancias. Orellán dejó de escuchar. Ahora estaba seguro. (Una / La / ø)(28) calle de Argumosa era (una / la / ø)(29) calle de Laura Bahía, (una / la / ø)(30) edad era la suya igual que (unas / las / ø)(31) iniciales, y la expresión de origen cubano designaba el hecho cierto de que Laura Bahía, hija de padre español, había nacido en Cuba, había vivido allí (unos / los / ø)(32) diecinueve años y ahora llevaba (unos / los / ø)(33) nueve en España.

Belén Gopegui, *El lado frío de la almohada*

N Completa con los acentos necesarios (unidad 30).

Recuerdo que con el correo de aquella mañana me habia llegado un requerimiento de Hacienda, por lo cual estaba yo ligeramente deprimido y bastante mas irritado que otro dia cualquiera a la misma hora. Al parecer, en mi declaracion del año ultimo no figuraba lo percibido el año anterior por una conferencia que di en la Universidad de Malaga ni por una mesa redonda de la que forme parte en la Complutense.

Jose M.ª Vaz de Soto, *Perros ahorcados*

Vocabulario

Vocabulario

1. Números

A Relaciona.

1. 58
2. 100
3. 429
4. 1.156
5. 1.945
6. 2.590
7. 12.056
8. 207.000
9. 3.000.000

a) Doscientos siete mil.
b) Mil ciento cincuenta y seis.
c) Doce mil cincuenta y seis.
d) Tres millones.
e) Mil novecientos cuarenta y cinco.
f) Cincuenta y ocho.
g) Cuatrocientos veintinueve.
h) Cien.
i) Dos mil quinientos noventa.

B Escribe con letra.

a) 112 *ciento doce.*
b) 462 ______________.
c) 516 ______________.
d) 1.537 ______________.
e) 3.689 ______________.
f) 9.884 ______________.
g) 10.240 ______________.
h) 52.860 ______________.
i) 300.291 ______________.
j) 1.230.580 ______________.
k) 2.150.756 ______________.
l) 10.278.915 ______________.

- **Uno** pierde la *-o* delante de un nombre masculino.
  Un *libro*
  Veintiún *libros.*
  Treinta y un mil *kilómetros.*

- **Ciento** pierde *-to* antes de cualquier nombre.
  Cien *libros,* ***cien*** *páginas.*

- **Números colectivos**

Par	Quincena	Centena / centenar
Decena	Veintena	Mil / millar
Docena		

Te he dicho ***miles*** *de veces que no grites tanto.*
Tiene varias ***decenas*** *de vacas.*

C Completa las frases con las palabras adecuadas.

1. Para hacer dos tortillas necesitamos una docena de huevos. (12)
2. Este año Lucía ya se ha comprado tres ______ de zapatos. (2)
3. En la última semana ha habido una ______ de casos de gripe. (20)
4. La revista nueva va a salir cada ______. (15)
5. Es precioso, mira, con este telescopio puedes ver ______ de estrellas. (1.000)
6. En la manifestación de ayer contra la guerra había varios ______ de personas. (1.000)
7. Tiene un rebaño de dos ______ de ovejas. (100)
8. Me gusta mucho la pintura, he visitado el Museo del Prado una ______ de veces. (10)

D Relaciona.

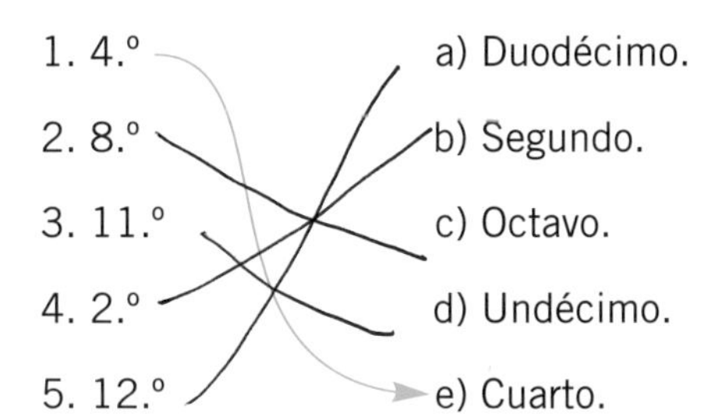

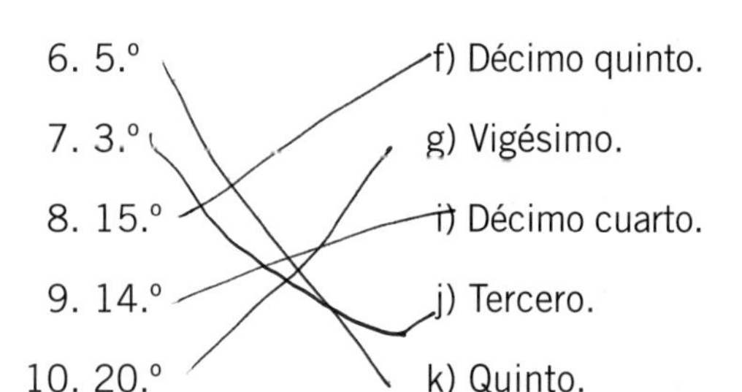

Fracciones

1/2 → un medio / la mitad	1/11 → un onceavo
1/3 → un tercio / la tercera parte	1/12 → un doceavo
1/4 → un cuarto / la cuarta parte	1/13 → un treceavo
3/4 → tres cuartos	1/20 → un veinteavo
1/5 → un quinto / la quinta parte	1/100 → un centavo, centésimo, la centésima parte
1/6 → un sexto	1/1.000 → un milésimo
1/7 → un séptimo	1 2/3 → uno y dos tercios
1/8 → un octavo	2 1/5 → dos y un quinto
1/9 → un noveno	
1/10 → un décimo	

Decimales

1,5 → uno coma cinco, uno con cinco.

2,75 → dos coma setenta y cinco, dos con setenta y cinco.

Aritmética

+ = Suma	2 + 2 = 4	*Dos **más** dos igual a cuatro.*
– = Resta	6 – 4 = 2	*Seis **menos** cuatro igual a dos.*
x = Multiplicación	2 x 2 = 4	*Dos **por** dos igual a cuatro.*
: = División	6 : 3 = 2	*Seis **entre** tres igual a dos. Seis **dividido por** tres igual a dos.*
% = Por ciento	15%	*Quince **por ciento.***

E Escribe estas cantidades como se dicen.

a) 1.978 mil novecientos setenta y ocho.

b) 1.808 ______________________.

c) 10.º ______________________.

d) 1,25 ______________________.

e) 82% ______________________.

f) 12.045 ______________________.

g) 2/5 ______________________.

h) 14,50 ______________________.

i) 12 (huevos) ______________________.

j) 30.º ______________________.

k) 5 ______________________.

l) 2/3 ______________________.

ll) 2.004 ______________________.

F Escribe en letras y completa las operaciones siguientes.

a) 15 + 30 – 10 = *quince más treinta menos diez igual a treinta y cinco.*

b) 60 – 10 + 8 = ______________________.

c) 90 – 45 = ______________________.

d) 55 – 50 : 1 = ______________________.

e) 100 – 80 x 2 + 6 = ______________________.

f) 92 : 9 + 2 x 5 = ______________________.

G Contesta a las preguntas con palabras.

1. ¿En que año naciste? ______________________.
2. ¿Cuánto mides? ______________________.
3. ¿Cuál es tu número de teléfono? ______________________.
4. ¿Cuántos habitantes tiene tu pueblo o ciudad? ______________________.
5. ¿Cuántos habitantes tiene tu país? ______________________.
6. ¿Cuál es la superficie de tu país? ______________________.

H Lee el texto y escribe debajo las cantidades correspondientes en letra.

POBLACIÓN DE MÉXICO.

Con una superficie de 1.958.201 km^2 (1) y 97.483.000 (2) habitantes, el ritmo de crecimiento de la población mexicana mantiene una trayectoria ascendente desde 1921 (3). Hasta este año el crecimiento fue lento e incluso hubo un descenso de población entre 1910 (4) y 1921. En 1900 (5) la población era de 13,6 (6) millones de habitantes; En 1921 era de 14,3 (7) millones. En los dos decenios siguientes, es decir, entre 1921 y 1940 (8), el crecimiento se mantuvo moderado. A partir de 1940 el proceso de expansión demográfica se aceleró y, en 1970 (9), casi había doblado la población. Entre 1960 (10) y 1970 hubo un incremento de un 38,34% (11), el mayor registrado hasta entonces.

A partir de 1980 (12) las cifras de aumento son más moderadas, aunque todavía notables. Las causas de este crecimiento hay que buscarlo en la elevada tasa de natalidad, una de las más altas en un país extenso.

Enciclopedia EL PAÍS Salvat

1. *Un millón novecientos cincuenta y ocho mil doscientos un kilómetros cuadrados.*

2. .
3. .
4. .
5. .
6. .
7. .
8. .
9. .
10. .
11. .
12. .

Vocabulario

2. *Formación de palabras (I) (prefijación)*

A Mira los dibujos y escribe las palabras del recuadro en el lugar correspondiente.

~~monopatín~~	pentágono	tetracampeón	bicicleta	triciclo	multicultural	polideportivo

1

2

3

1. Juguete que consta de una tabla larga sobre un patín: *monopatín*.

2. Vehículo de dos ruedas: ______________________.

3. Vehículo de tres ruedas: ______________________.

4. Campeón por cuarta vez: ______________________.

5. Polígono de cinco lados: ______________________.

6. Grupo al que pertenecen personas de varias culturas: ______________________.

7. Instalaciones deportivas en las que se practican varios deportes: ______________________.

B Completa con los prefijos que han aparecido y con su significado.

Prefijo	Significado
mono-	*"uno"*

C Relaciona.

1. Religión que cree en un solo dios. → c
2. Obra dramática en la que habla un solo personaje.
3. El que está casado con dos personas a la vez.
4. El que habla dos idiomas perfectamente.
5. Palabra que tiene tres sílabas.
6. Empresa que está establecida en varios países.
7. Persona que habla varios idiomas.

a) Trisílaba.
b) Multinacional.
c) Monoteísta.
d) Políglota.
e) Monólogo.
f) Bígamo.
g) Bilingüe.

D Mira el dibujo y escribe la letra correspondiente.

c

“Mi vida” Dalí

d

1. móvil ___a___
2. automóvil ______
3. biografía ______
4. autobiografía ______

El prefijo “**auto-**” significa:
a) contra ☐ b) a favor ☐ c) propio, por uno mismo ☐

E Completa con las palabras del recuadro.

~~autógrafo~~ autoaprendizaje autoservicio autorretrato autosuficiente

1. ¡Mira, es tu cantante favorito, pídele un *autógrafo*!
2. Este ______________ es uno de los cuadros más famosos de Van Gogh.
3. ¡Vamos, Juan, puedes coger tú mismo lo que quieras, es un ______________!
4. Es un libro de ______________, es para estudiar en casa sin profesor.
5. Jaime cree que puede hacerlo todo él solo, es demasiado ______________.

Formación de contrarios

► Formamos los contrarios de algunos adjetivos poniendo delante el prefijo **in-**, que se escribe de forma distinta dependiendo de la letra por la que empieza la palabra:

i- si la palabra empieza por **l**: *ilegal*.

im- si la palabra empieza por **m** / **b**. *imperfecto*.

ir- si la palabra empieza por **r**: *irracional*.

in- en los demás casos: *inseguro*.

► Formamos el contrario de algunos verbos poniendo delante el prefijo **des-**: *desenchufar*, *destapar*, *desordenar*.

F **Lee el texto y busca las palabras con significado contrario.**

1. Aparecer *desaparecer*
2. Colgar ________
3. Conectar ________
4. Posible ________
5. Directamente ________
6. Responsable ________

El pasado 5 de enero desaparecieron varios de los cuadros más famosos del Museo de Arte Contemporáneo. Se trata de dos obras de Picasso, una de Dalí y otra de Joan Miró. Según el director del museo, los ladrones tardaron menos de cinco minutos en desconectar las alarmas, descolgar los cuadros y salir por una de las puertas laterales del edificio.

La policía ha manifestado que este tipo de robos es imposible sin la colaboración de alguien desde el interior del edificio, por lo que, indirectamente, acusa al Director de irresponsable en la gestión de la seguridad del museo.

G **Escribe la palabra con significado contrario.**

1. Real *irreal*
2. Útil ________
3. Legal ________
4. Probable ________
5. Lógico ________
6. Consciente ________
7. Responsable ________
8. Ordenar *desordenar*
9. Hacer ________
10. Abrochar ________
11. Agradar ________
12. Animar ________
13. Cansar ________
14. Congelar ________

3. *Formación de palabras (II) (sufijación)*

A **Mira la ilustración y señala el adjetivo que corresponde al diálogo.**

¿Qué tal os lo habéis pasado en México?

Genial, ha sido un viaje ______________. Las pirámides aztecas son impresionantes, las playas, preciosas, y la gente muy amable.

a) Insoportable.

b) Inexplicable.

c) Inolvidable.

d) Imperdible.

Sufijos para formar adjetivos		
-oso	**-ico**	**-able/-ible**
*peligr**oso***	*histór**ico***	*inexplic**able** / incre**íble***

B **Completa las frases con el adjetivo que corresponde a estos sustantivos.**

~~calor~~ psicología miedo ruido orgullo alergia historia
poesía celos cariño horror filosofía vergüenza

1. He oído que el próximo verano será muy *caluroso*, tendremos más de 45.°.
2. No compré el piso en esa calle porque hay mucho tráfico y es muy ______________.
3. A. ¿Qué le pasa a tu hijo?
   B. Es que es bastante ______________, todavía no puede dormir solo por la noche.
   A. ¿Por qué no lo llevas al médico? Tal vez tenga un problema ______________.
4. A. ¿Es usted ______________ a algún medicamento?
   B. Sí, no puedo tomar algunos antibióticos.
5. A. ¿Cuál es el acontecimiento ______________ más importante del siglo XVIII?
   B. Yo creo que la Revolución Francesa.
6. Mis padres están muy ______________ de mi hermano desde que se licenció en Medicina.
7. No me gusta nada ese cuadro, es ______________.
8. Se ve que es una escritora muy sensible, sus obras son muy ______________.

9. El racionalismo es una corriente ______________ a la que pertenecen grandes autores como Descartes.

10. A. ¿Tu hija es siempre tan ______________?

    B. Sí, le encanta dar besos y abrazos a los demás niños.

    A. Pues la mía no, es muy ______________. Además ahora está bastante ______________ de su hermano pequeño, dice que le queremos más a él.

C **Contesta.**

1. ¿Cómo es algo que *no* se puede *ver*? *invisible*
2. ¿Cómo es una persona a la que *no* puedes *soportar*? *insoportable*
3. ¿Cómo es algo que ya *no* puedes *utilizar*? ______________
4. ¿Cómo es algo que *no* puedes *explicar*? ______________
5. ¿Cómo es un recuerdo que *nunca* vas a *olvidar*? ______________
6. ¿Cómo es una situación que *no* se volverá a *repetir*? ______________
7. ¿Cómo es algo que *no* puedes *alcanzar*? ______________
8. ¿Cómo es algo que tiene *muy pocas probabilidades* de suceder? ______________
9. ¿Cómo es algo que *no* se puede *creer*? ______________
10. ¿Cómo es algo que *no* se puede *discutir*? ______________

D **Busca en los textos el adjetivo derivado de estas palabras.**

1. Hábito *habitual* 2. Profesión ______________ 3. Ley ______________
4. Nación ______________ 5. Escuela ______________ 6. Opción ______________

Cada vez es más habitual entre los jóvenes con fracaso escolar, que se encuentren con algún tipo de problema legal antes de cumplir los 18 años.

Según el Ministerio de Educación, la mayoría de los estudiantes universitarios opina que las salidas profesionales son muy escasas.

LA SELECCIÓN NACIONAL DE FÚTBOL JUGARÁ SU PRIMER PARTIDO DE LA TEMPORADA EN UNA PEQUEÑA CIUDAD PORTUGUESA DE MENOS DE 50.000 HABITANTES.

Casi todos los barrios de Valencia tienen problemas de aparcamiento, a pesar de que los pisos que se construyen actualmente se venden con garaje opcional.

Sufijos para formar sustantivos		
-ción	**-miento**	**-da**
*educa**ción***	*entendi**miento***	*llega**da***

E **Escribe el sustantivo derivado. El primero de cada grupo ha aparecido en el texto de la actividad anterior.**

1. Educar *educación*
2. Opinar ____________
3. Obligar ____________
4. Prohibir ____________
5. Relajar ____________
6. Informar ____________
7. Votar ____________
8. Elaborar ____________
9. Aparcar ____________
10. Adelantar ____________
11. Pensar ____________
12. Conocer ____________
13. Agotar ____________
14. Enriquecer ____________
15. Empobrecer ____________
16. Entender ____________
17. Salir ____________
18. Llegar ____________
19. Entrar ____________
20. Ir ____________

F **Completa con palabras de la actividad anterior.**

1. A. Las últimas votaciones para elegir director fueron muy discutidas.
   B. En mi *opinión*, no hubo ____________ suficiente, por eso no se sabía bien a quién votar.
2. La ____________ de los corredores a la meta fue muy accidentada. Uno de los ciclistas hizo varios ____________ muy peligrosos, hasta que consiguió ponerse en primer lugar.
3. En 2006 el Ministerio de Sanidad llevará a cabo la ____________ de fumar en todos los locales públicos.
4. No se permite la ____________ a ese local a menores de 18 años.
5. Puedes combatir el ____________ mental haciendo ejercicio o practicando alguna técnica de ____________.
6. El Presidente del Gobierno ha asegurado que el estado tiene la ____________ de luchar contra el ____________ de las personas mayores, por lo que iniciará una subida considerable de las pensiones a partir de este mismo año.

G **Mira los dibujos y escribe el verbo que corresponde. Después completa los demás.**

1. Alegre → *alegrarse*
2. Enfadado → ____________
3. Divertido → ____________
4. Aburrido → ____________
5. Deprimido → ____________
6. Enamorado → ____________

Vocabulario

4. Léxico de la casa

A Escribe la letra correspondiente.

1. Cortinas a
2. Sillón ____
3. Cojín ____
4. Sofá ____
5. Mesa de centro ____
6. Jarrón con flores ____
7. Maceta ____
8. Alfombra ____
9. Estantería ____

B Subraya los objetos que también aparecen en el dibujo anterior.

televisión	lavadora	vídeo	ordenador	espejo
equipo de música	libros	cuadros	microondas	sartén

C Completa con las palabras del recuadro (dos de ellas las tendrás que usar dos veces).

al salón	una mesa redonda	la alfombra	~~la cocina~~
la tele	el sofá	mi habitación	los platos

En mi casa comemos en la cocina (1) porque tenemos ____________ (2) grande en la que cabemos todos. Después de comer mis padres van ____________ (3) a ver un rato ____________ (4). Mi hermano y yo recogemos la mesa y lavamos ____________ (5).
Cuando vamos ____________ (6) mi padre siempre está en ____________ (7) durmiendo la siesta.
Nuestro perro Rufo suele estar sobre ____________ (8) esperando que mi hermano lo saque a pasear.
Como a mí no me gustan los programas que hay en ____________ (9) a esas horas, siempre voy a ____________ (10) hasta que llegan las 3, porque a esa hora tengo que ir al instituto.

D **Haz frases con los elementos de cada columna.**

Hay que lavar	el suelo	una vez al mes
Hay que barrer	las cortinas	una vez a la semana
Hay que fregar	la cama	cada dos días
Hay que planchar	el polvo	todos los días
Hay que poner	la lavadorra	
Hay que limpiar	la ropa	
Hay que hacer	los platos	

1. *Hay que lavar las cortinas una vez al mes.*
2. ______________________________.
3. ______________________________.
4. ______________________________.
5. ______________________________.
6. ______________________________.
7. ______________________________.

E **Completa.**

1. Escribe al menos cuatro cosas que puedes hacer en el salón de tu casa:
   Ver la tele, ______________________________.
2. Escribe al menos cuatro cosas que haces en la cocina:
   ______________________________.
3. Escribe cinco objetos que pueden encenderse y apagarse:
   ______________________________.
4. Escribe tres objetos sobre los que puedes sentarte:
   ______________________________.
5. Escribe tres objetos que tienes que *lavar* / *fregar* todos los días:
   ______________________________.

F **Escribe el nombre correcto de los objetos de esta habitación.**

1. ma-rio-ar *armario*
2. si-me-ta de che-no ____________
3. pa-lám-ra ____________
4. per-ta-dor-des ____________
5. chón-col ____________
6. mo-ha-al-da ____________
7. ja-pi-ma ____________
8. che-per-ro ____________

G **Completa el crucigrama.**

1. ☐☐☐☐☐☐☐☐☐
2. C A L C U L A D O R A
3. ☐☐☐☐☐☐☐
4. ☐☐☐☐☐☐
5. ☐☐☐☐☐
6. ☐☐☐☐☐☐

H **Completa con las palabras del recuadro.**

~~despertador~~	armario	colchón	almohada	ordenador	mesita de noche	pijama

1. A. ¿Por qué no ha sonado hoy el *despertador*?
   B. Lo siento, olvidé ponerlo anoche.
2. Juan, cuelga las camisas en el ____________, ya están planchadas.
3. A. ¿Has dormido bien esta noche?
   B. No, he dormido fatal, el ____________ está muy duro y la ____________ es mucho más fina que la de mi cama.
4. Carlos, no olvides apagar el ____________ cuando termines de estudiar.
5. A. ¿Dónde está el libro que estás leyendo?
   B. En el primer cajón de la ____________.
6. A. ¿Qué te han regalado por navidad?
   B. Un ____________ de rayas y unas zapatillas.

5. *Comer*

A Escribe la letra correspondiente.

Frutas

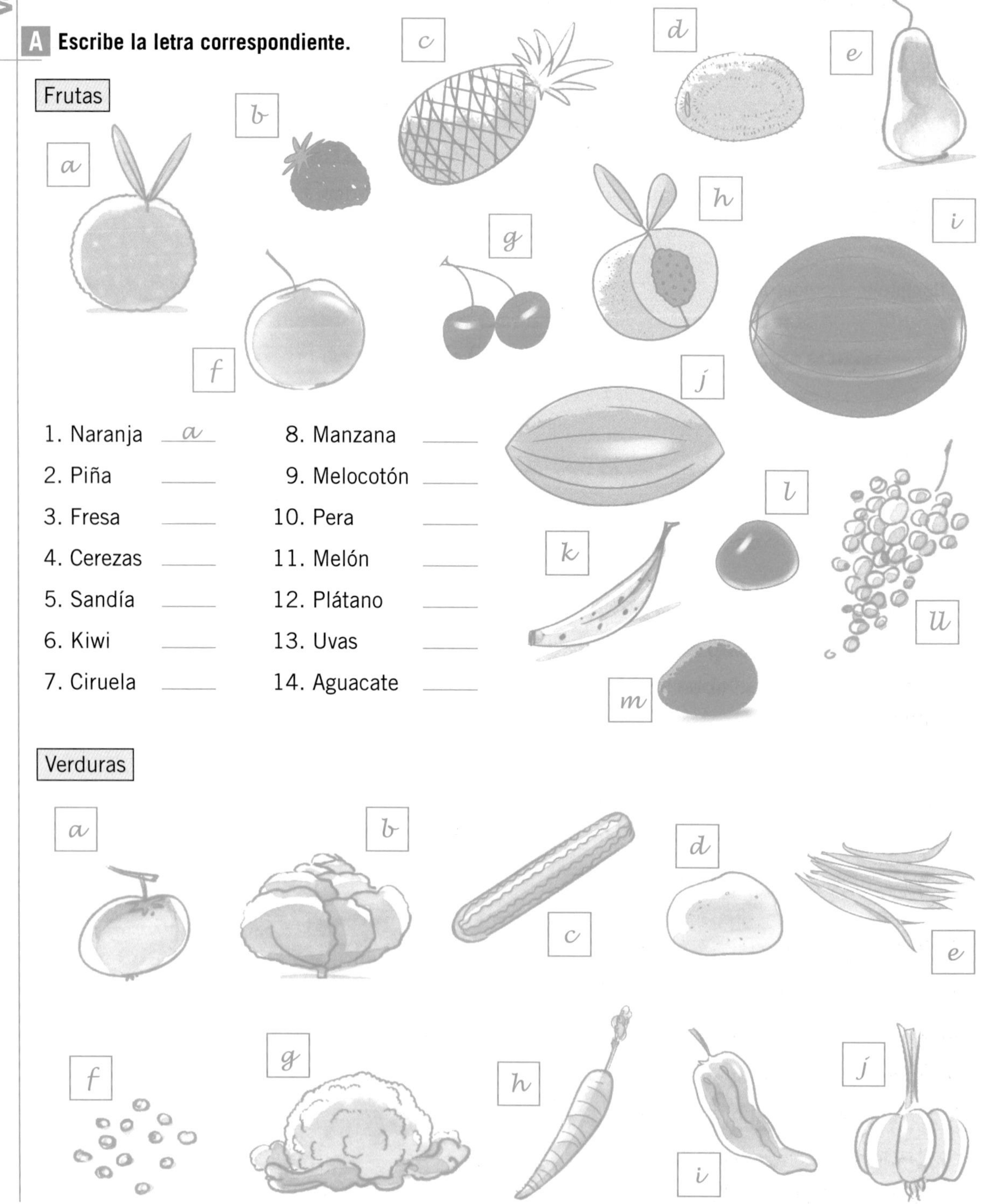

1. Naranja a
2. Piña ____
3. Fresa ____
4. Cerezas ____
5. Sandía ____
6. Kiwi ____
7. Ciruela ____
8. Manzana ____
9. Melocotón ____
10. Pera ____
11. Melón ____
12. Plátano ____
13. Uvas ____
14. Aguacate ____

1. Patata ____
2. Berenjena ____
3. Cebolla ____
4. Pimiento verde ____
5. Ajo ____
6. Calabacín ____
7. Champiñones ____
8. Coliflor ____
9. Guisantes ____
10. Zanahoria ____
11. Lechuga ____
12. Pepino ____
13. Tomate ____
14. Judías verdes ____

k l ll m

Pescados y mariscos

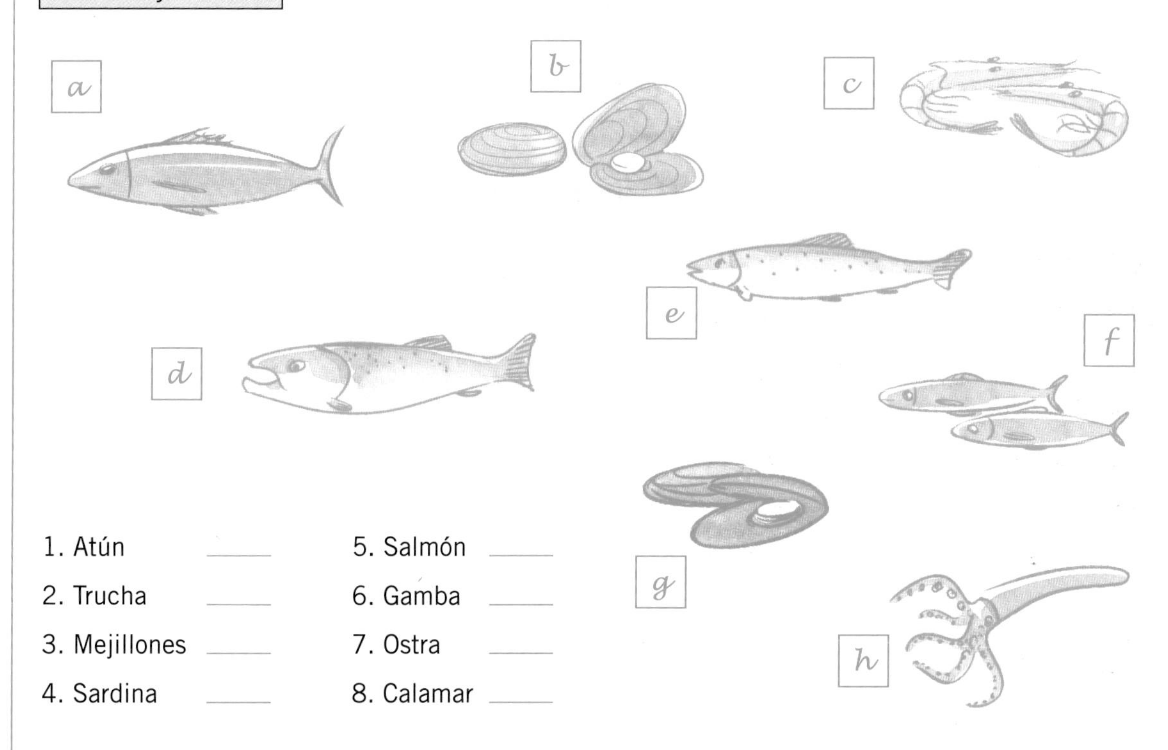

1. Atún ____
2. Trucha ____
3. Mejillones ____
4. Sardina ____
5. Salmón ____
6. Gamba ____
7. Ostra ____
8. Calamar ____

B Tacha la palabra intrusa.

1. Tomate, calabacín, ~~fresa~~, pepino.
2. Champiñones, pimiento, ostra, lechuga.
3. Sardina, trucha, merluza, pera.
4. Ternera, cerdo, calamar, cordero.
5. Pollo, melocotón, melón, manzana.
6. Uva, fresa, ciruela, berenjena.
7. Cerezas, plátano, coliflor, naranja.

C **Escribe cada plato en el apartado correspondiente.**

En el restaurante

arroz con leche	merluza a la romana	sopa de pescado	~~flan~~
trucha rellena de jamón	ensalada mixta	pollo asado	tarta de queso
gazpacho	chuletas de cordero	macarrones tres quesos	bacalao al pil-pil

RESTAURANTE ASTURIAS

Menú del día

Primer plato

Fabada asturiana ____________

____________ Judías verdes con jamón

____________ ____________

Segundo plato

Filete de ternera ____________

____________ ____________

____________ ____________

Postre

Fruta del tiempo

Flan

Helado

____

____

D **¿Qué sabor tienen? Relaciona.**

1. Limón → b)
2. Miel
3. Café
4. Guindilla
5. Jamón serrano

a) Amargo
b) Ácido
c) Dulce
d) Salado
e) Picante

E **Completa las frases con uno de los verbos del recuadro.**

freír	pelar	~~asar~~	cocer	picar
batir	mezclar	rebozar	echar	cortar

1. Andrés todos los domingos *asa* una paletilla de cordero en el horno.
2. Para hacer la tortilla española, primero tienes que ________ las patatas y ________ las en trozos.
3. Tienes que ________ muy bien los huevos para hacer la tortilla.
4. Prueba el arroz y ________ le sal si hace falta.
5. Las patatas se ________ en aceite caliente.
6. No tienes que ________ las verduras mucho tiempo porque pierden las vitaminas.
7. Para hacer el sofrito, ________ una cebolla y ajo y, luego, añade tomate.
8. Para hacer la tarta, ________ bien todos los ingredientes con la batidora.
9. Antes de freír el pescado se ________ en harina.

6. La salud y la enfermedad

A **Escribe el nombre correspondiente.**

~~cara~~	barbilla	hombro
cadera	rodilla	culo
muñeca	mano	cuello
codo	pie	cintura
pecho	tobillo	muslo

a) *cara*
b) ________
c) ________
d) ________
e) ________
f) ________
g) ________
h) ________
i) ________
j) ________
k) ________
l) ________
ll) ________
m) ________
n) ________

B Relaciona con su explicación.

1. Amigdalitis
2. Miopía
3. Gastroenteritis
4. Gripe
5. Varicela
6. Artrosis
7. Resfriado
8. Infarto (de miocardio)

a) Enfermedad de la vista: no ve bien de lejos.
b) Ataque al corazón.
c) Enfermedad vírica con fiebre, dolor generalizado y catarro.
d) Enfermedad por desgaste de los huesos.
e) Enfermedad respiratoria leve con tos, mucosidad, estornudos, dolor de cabeza y fiebre moderada.
f) Enfermedad del estómago que produce diarrea y vómitos.
g) Enfermedad vírica que afecta a los niños con fiebre y granos en la piel.
h) Inflamación de la garganta, también se llama "anginas".

C Completa los diálogos con las palabras que aparecen en la actividad anterior.

1. A. Doctor, me duele mucho la *garganta*, sobre todo al tragar. Y tengo fiebre.
   B. A ver, abre la boca... Lo que tienes son ______________, tómate estas pastillas.
2. A. ¿Qué te pasa?, tienes mala cara.
   B. Sí, es que tengo un ______________ tremendo. No paro de toser, me duele la ______________ y creo que tengo un poco de ______________, me voy a meter en la cama.
3. A. Y Fernando, ¿por qué no ha venido hoy a trabajar?
   B. Es que tiene ______________. Ayer le ______________ todo el cuerpo y tenía mucha ______________.
4. Mi marido está en casa con ______________. El domingo comimos en un restaurante y por la tarde ya empezó con ______________ y vómitos. Parece que algo le sentó mal.
5. A. Hola, ¿qué tal?
   B. Yo, bien, pero no he dormido nada porque la niña tiene ______________, esta noche ha tenido ______________ y le molestan mucho los ______________ que tiene.
6. Juan, tenemos que llevar al niño al oftalmólogo, dice que en clase no ve bien lo que el profesor escribe en la pizarra, debe tener ______________.
7. A. ¿No te has enterado? A Jaime le ha dado un ______________ en medio de una reunión.
   B. ¡Vaya, hombre! Es que trabaja demasiado, come lo que le da la gana, no hace ejercicio, en fin, un desastre.

D ¿A qué especialista debes acudir...

1. si tienes un problema de piel? a) dermatólogo
2. si a tu hijo le duele la garganta? b) ____________
3. si es un problema de mujeres exclusivamente? c) ____________
4. si tienes problemas con los dientes? d) ____________
5. si no puedes ver bien de cerca? e) ____________
6. si tienes problemas de huesos? f) ____________
7. si estás deprimido/a? g) ____________

7. *Viajes*

A Escribe el nombre debajo de su dibujo.

piloto | aterrizar | despegar | abrocharse el cinturón | auxiliar de vuelo

1. Piloto 2. ____________ 3. ____________

4. ____________ 5. ____________

B **Relaciona una palabra de cada columna y escribe la letra correspondiente al dibujo.**

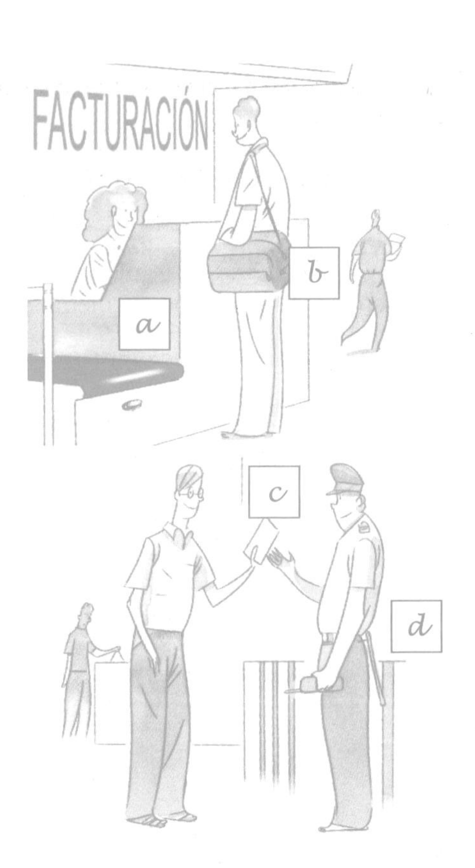

1. Mostrador		embarque	____
2. Tarjeta		pasaportes	____
3. Control	de	mano	____
4. Equipaje		facturación	*a*

C **Completa el texto con las palabras del recuadro.**

aeropuerto (2)	vuelo (2)	facturar	~~avión~~	pasaportes	retraso	mano
asiento	embarque	cinturón	pasajeros (2)	despegará	piloto	

Si vas a hacer un viaje en *avión* (1) tienes que ir al ________ (2) aproximadamente dos horas antes de que salga tu ________ (3).

Lo primero que tienes que hacer es ________ (4) tu equipaje para que te den la tarjeta de ________ (5). Después tienes que pasar por el control de ________ (6).

En la zona del ________ (7) en la que sólo pueden estar los ________ (8) hay muchas tiendas libres de impuestos en las que puedes hacer algunas compras.

Si tu ________ (9) no tiene ________ (10), podrás embarcar a la hora prevista.

Cuando estés en el avión tendrás que buscar tu ________ (11) y colocar el equipaje de ________ (12) en el maletero. Una señal indicará el momento en el que tienes que abrocharte el ________ (13) de seguridad.

Poco después, el avión ________ (14) y el ________ (15) dará la bienvenida a todos los ________ (16).

D Lee la información y después completa con las palabras del recuadro.

PIRINEO ARAGONÉS - FORMIGAL

VACACIONES

Precios por persona y noche en habitación doble(1)

Temporada(2)	HD	MP	PC(3)
Baja	66,01	85,02	102,05
Media	89,02	108,02	120,12
Alta	101,02	120,02	138,02
Fin de año	75,01	94,02	110,12

El hotel dispone de salones, discoteca, piscina climatizada, SPA y jardín de infancia. Tiene TV y minibar en todas las habitaciones.

(1) Suplemento habitación individual por noche: 25,50 €

(2) Temporada alta: 3-7/12, 24-25/12, 2-8/1, 4-12/2, 18-26/3

(3) Hotel y desayuno / Media pensión (desayuno + cena) / Pensión completa.

baja	hotel y desayuno	media	individual
pensión completa	media pensión	~~alta~~	doble

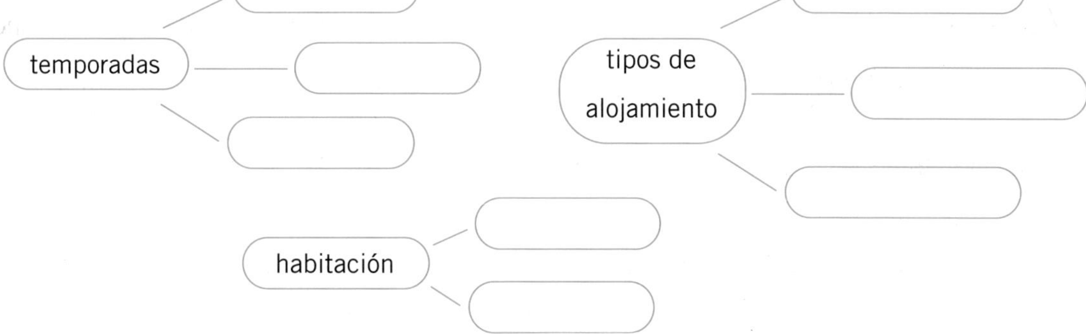

E Ordena estas acciones cronológicamente.

a) Reservar una habitación de hotel. 1.º

b) Levantarse y desayunar. ____

c) Pasar la noche en el hotel. ____

d) Llegar al hotel. ____

e) Decirle al recepcionista que hemos reservado una habitación. ____

f) Pedir que nos suban las maletas. ____

g) Pagar la cuenta. ____

F **Completa el diálogo con las palabras.**

doble	completo	reserva	libre	pensión	~~reservar~~	individual	media

Hotel: Hotel Formigal, buenos días.

Cliente: Buenos días, quería *reservar* (1) una habitación para fin de año. ¿Tiene alguna ________ (2)?

Hotel: No, lo siento, está todo ________________ (3).

Cliente: ¿Y el fin de semana siguiente, el de Reyes?

Hotel: Ese sí, no hay problema, ¿quiere una habitación ________________ (4) o ________________ (5)?

Cliente: Individual.

Hotel: ¿________________ (6) completa?

Cliente: No, mejor ________________ (7) pensión.

Hotel: Bien, son 145,02 euros, tiene que pagar un suplemento por habitación individual. ¿Le hago la ________________ (8)?

Cliente: Sí, claro.

8. Vacaciones

Vocabulario

A **Relaciona los dibujos con las palabras.**

a) Gorra ___1___

b) Bañador _____

c) Pareo _____

d) Chanclas _____

e) Toalla _____

f) Crema bronceadora _____

g) Sombrilla _____

h) Hamaca _____

i) Gafas de sol _____

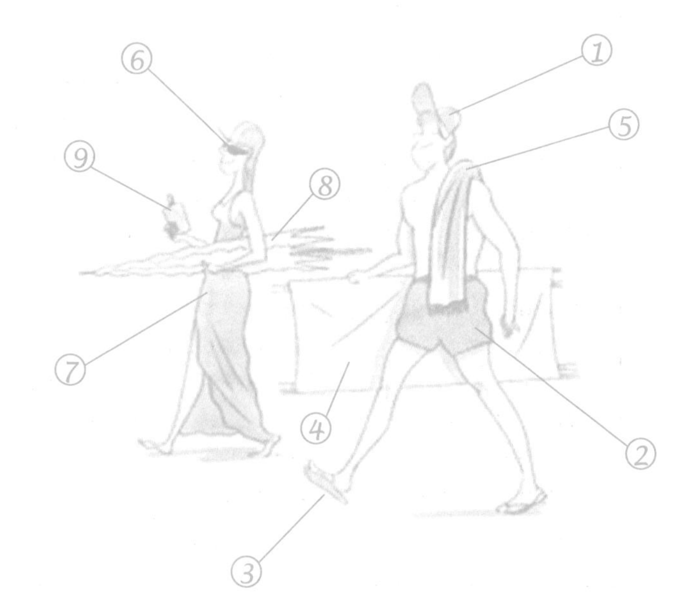

B Completa el crucigrama.

Horizontales:

1. Puedes ponerla en la arena y tumbarte a tomar el sol. También puedes secarte con ella si estás mojado.
2. Se pone en la arena de la playa y sirve para dar sombra.
3. Meterse en el agua del mar o de la piscina.
4. Se pone en la cabeza y protege del sol.

Verticales:

1. Si tomas el sol te pones...
2. Traje de baño.
3. Lugar al que vas para bañarte en el mar.
4. Donde pones la sombrilla y la toalla.

C Completa la postal con las palabras del recuadro.

museo ~~ciudad~~ iglesias monumentos recuerdos fotos alojamos turistas vistas vida nocturna arte

Atenas, 20 de agosto de 2005

Querida Elena:

Ayer llegamos a Atenas, es una ciudad (1) *preciosa. Nos* ______ (2) *en un estupendo hotel que está en un barrio muy céntrico, tenemos unas* ______ (3) *magníficas de la Acrópolis. Por la noche salimos a cenar y a tomar algo, es una ciudad con una gran* ______ (4)*, más o menos como Madrid.*

Esta mañana hemos estado en el ______ (5) *arqueológico y hemos recordado nuestras clases de* ______ (6) *griego.*

Esta tarde vamos a ir a un barrio que se llama Mounastiraki. Me han dicho que podemos ver algunas ______ (7) *bizantinas y que hay muchas tiendas para comprar* ______ (8)*.*

Toda la ciudad está llena de ______ (9) *muy interesantes y por todas partes hay* ______ (10) *haciendo* ______ (11)*. Seguro que a ti te encantaría.*

Nos vemos pronto. Muchos besos.

Raquel

0.1€

Elena Boschmonar

Avda. de América, 45

28003 Madrid

ESPAÑA

9. *Vocabulario de la ciudad*

A **Escribe el nombre debajo del dibujo.**

~~acera~~ calzada semáforo cruce señal de tráfico curva paso de peatones

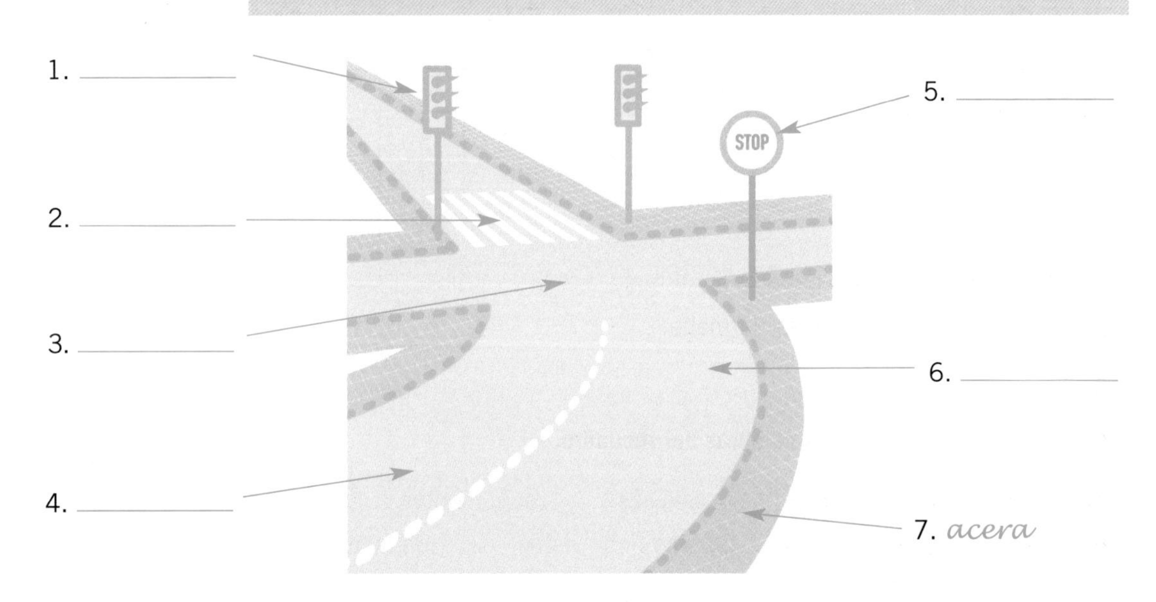

B **¿Verdadero o falso?**

1. Los coches tienen que aparcar en la acera. *falso*
2. Los peatones deben andar por la calzada. ____________
3. Cuando el semáforo está en rojo no podemos cruzar. ____________
4. Está prohibido aparcar en doble fila. ____________
5. Ante una señal de "stop" no es obligatorio parar el coche. ____________
6. Si hay una curva a la derecha tenemos que girar en esa dirección. ____________
7. El límite de velocidad en autopistas es mayor que dentro de la ciudad. ____________
8. En una autopista puedes adelantar por la izquierda a los coches que van despacio. ____________
9. Los conductores deben parar ante los pasos de peatones para que los peatones crucen. ____________
10. En hora punta siempre hay menos tráfico. ____________

C Relaciona

1. Hora → c) punta
2. Vida
3. Contaminación
4. Transporte
5. Actividades

a) público
b) culturales
c) punta
d) atmosférica
e) nocturna

D Escribe en la columna correspondiente.

1. Hay mucha vida nocturna.
2. Hay demasiada gente.
3. Puedes comprar cualquier cosa.
4. Hay muchas actividades culturales.
5. Pierdes el contacto con la naturaleza.
6. Hay más oportunidades (trabajo, estudios, etc.).
7. El ritmo de la vida es más rápido.
8. Hay mucho ruido, atascos y contaminación.
9. La vida es más cara (vivienda, transporte, etc.).
10. La vida es más peligrosa (hay más violencia).

Lo positivo de vivir en una ciudad	Lo negativo de vivir en una ciudad

10. *Expresiones idiomáticas*

A Relaciona las imágenes con las siguientes expresiones.

1. Hacerse la boca agua.
2. Ponerse como un tomate.
3. Costar un ojo de la cara.
4. Ponerse como una fiera.
5. No dar palo al agua.
6. Quedarse en los huesos.

B Relaciona las expresiones con su significado.

1. No tener pelos en la lengua.
2. Ponérsele los pelos de punta.
3. No tener un pelo de tonto.
4. Con pelos y señales.
5. Empinar el codo.
6. Hablar por los codos.
7. Hincar los codos.
8. No tener ni pies ni cabeza.

a) Ser inteligente.
b) Beber mucho alcohol.
c) Ser absurdo o ilógico.
d) Estudiar mucho.
e) Sentir mucho miedo.
f) Hablar sin problemas de todo.
g) Con mucho detalle.
h) Hablar mucho.

C Elige la expresión adecuada.

1. La semana que viene tengo un examen y no tengo más remedio que *hincar los codos* si quiero aprobar.
   a) empinar el codo. b) hincar los codos. c) no tener un pelo de tonto.

2. No entiendo nada de la película, esta historia ____________________.
   a) no da palo al agua. b) no da palo al agua. c) no tiene ni pies ni cabeza.

3. Rosa María le dijo a su jefe todo lo que no le gustaba de él, ya sabes que ____________________.
   a) habla por los codos. b) no tiene pelos en la lengua. c) no tiene ni pies ni cabeza.

4. Yo creo que la enfermedad que tiene Claudio no es de trabajar, es de ____________________.
   a) empinar el codo. b) hincar los codos. c) no tener un pelo de tonto.

5. Al ver el bocadillo de jamón que traía Miguel, ____________________.
   a) se me hizo la boca agua. b) me quedé en los huesos. c) se me pusieron los pelos de punta.

6. Ricardo era el único que vio el accidente y nos lo contó todo ____________________.
   a) sin pies ni cabeza. b) con pelos y señales. c) por los codos.

7. Susana empezó una dieta de adelgazamiento tan dura que ____________________.
   a) no da palo al agua. b) se ha puesto como un tomate. c) se ha quedado en los huesos.

8. Yo creo que mi hermano no ____________________ y se dará cuenta de que no le conviene casarse con Sara.
   a) tiene un pelo de tonto. b) tiene pelos en la lengua. c) se le ponen los pelos de punta.

9. Cada vez que me acuerdo del miedo que pasamos la noche aquella en la montaña, ____________________.
   a) me quedo de piedra. b) me pongo como una fiera. c) se me ponen los pelos de punta.

D Completa las frases con una expresión.

~~ser un caradura~~	echar una mano	al pie de la letra
estar en las nubes	estar por las nubes	irse por las ramas

1. El novio de Celia *es un caradura*, nunca paga las bebidas y siempre está pidiéndonos dinero.
2. Al principio la conferencia estuvo bien, pero, luego, el profesor empezó a ____________________ y me perdí la mitad de lo que dijo.
3. Arturo, por favor, atiende lo que te digo, parece que ____________________.

4. Fernando, ¿puedes ____________________? No entiendo las instrucciones de este nuevo ordenador.
5. Si quieres que esta receta te salga bien, tienes que seguir las instrucciones ____________________ porque es muy difícil.
6. Aunque el gobierno dice que los precios no han subido mucho, lo cierto es que vas al mercado y todo ____________________.

E Relaciona las expresiones con su significado.

1. Echar de menos.	a) Empezar una relación.
2. Echar en falta.	b) Sentir la ausencia de una persona o cosa con nostalgia.
3. Echar en cara.	c) Notar la falta de algo o alguien.
4. Echarse un novio / un amigo.	d) Repostar.
5. Echar la siesta.	e) Cerrar bien.
6. Echar la llave.	f) Reprochar algo.
7. Echar gasolina.	g) Mirar rápidamente.
8. Echar un vistazo.	h) Dormir después de la comida de medio día.

F Completa las frases con una de las expresiones de la actividad anterior.

1. Me he separado de Jaime porque cada día me *echaba en cara* que yo no ganaba tanto como él y que sólo trabajaba media jornada.
2. Mario, cuando termines, no te olvides de ____________________ del armario de los productos de limpieza.
3. Parece que ha entrado alguien en la casa, pero no han robado, porque no ____________________ nada de valor.
4. Dentro de 30 km tenemos que parar a ____________________, ya casi no queda.
5. A. ¿Sabes, Valentina?, mi hijo mayor ____________________.
   B. Ya era hora, tiene 38 años, ¿no?
6. Desde que salí de mi país ____________________ un montón de cosas: mis amigos, mi familia, la comida de allí. Todo es diferente aquí.
7. Mañana empiezan las rebajas, ¿quieres que vayamos a ____________________?
8. Mi padre, todos los días después de comer, se ____________________, sobre todo en verano.

Vocabulario

11. *Sucesos*

A **Lee estos titulares y completa el texto con las palabras subrayadas.**

Durante el mes de agosto ha descendido ligeramente el número de <u>delitos</u> en la Comunidad de Madrid.

La policía <u>detiene</u> a tres hombres y una mujer por el robo de la joyería "Velázquez".

Tres peligrosos <u>delincuentes</u> han escapado de la <u>cárcel</u> de Herrera del Duque dos días después de que se celebrara el <u>juicio</u>.

El robo es un *delito* (1) que cometen unos ________ (2). Si la policía ________ (3) a los culpables, se celebra un ________ (4) y pueden ir a la ________ (5).

B **Subraya las acciones que sean un delito en tu país.**

No pagar impuestos	Robar un banco	Romper un libro	Matar a alguien
Dormir en la calle	Pedir dinero a un amigo	Traficar con droga	Falsificar dinero

C **Contesta o completa la frase con estas palabras.**

la policía	la víctima	~~ladrón~~	el juez	denunciar
traficante	su abogado	delincuente	crimen	asesino

1. ¿Cómo se llama alguien que roba a otra persona? *Ladrón*.
2. La persona a la que han robado es ________.
3. La víctima tiene que ________ el robo a la policía.
4. ¿Quién investiga el robo? ________.
5. ¿Quién decide si alguien es culpable o inocente? ________.
6. ¿Quién defiende a la persona acusada de cometer un delito? ________.

7. ¿Cómo se llama alguien que ha matado a una persona? ____________.
8. ¿Cómo se llama la persona que vende droga? ____________.
9. La persona que comete un delito es un ____________.
10. Delito que consiste en matar o herir a alguien gravemente: ____________.

D Relaciona.

1. Poner	a) un delito.
2. Ir	b) un juicio.
3. Hacer	c) armas.
4. Celebrarse	d) a la cárcel.
5. Cometer	e) una denuncia.
6. Llevar	f) una investigación.

E Completa estas noticias con las palabras del recuadro.

murió	denuncia	ladrón	juicio	~~detuvo~~
culpable	víctima	robos	detenido	pruebas

La policía *detuvo* (1) a seis personas tras una pelea ocurrida la noche del domingo en Alicante. A pesar de que hay varios heridos, ninguno ha querido poner una ________ (2).

Un hombre de unos 35 años ________ (3) ayer en un tiroteo que se produjo en la calle. La ________ (4) recibió cinco impactos de bala que le provocaron la muerte. De momento no hay ningún ________ (5).

Han detenido en el aeropuerto al ________ (6) de la joyería de la calle Vitrubio. La policía cree que es también ________ (7) de otros ________ (8) que se han producido en la Comunidad de Madrid y ha presentado todas las ________ (9) ante el juez. Sin duda todas sus víctimas podrán declarar cuando se celebre el ________ (10).

12. *Profesiones y lugares de trabajo*

A Busca en la sopa de letras los nombres de estos profesionales.

P	A	N	A	D	E	R	O	B	C	I
U	P	E	H	T	U	R	V	Ñ	A	T
T	C	M	E	D	I	C	A	L	R	W
Z	S	P	I	N	T	O	R	A	P	N
C	A	R	T	E	R	A	I	M	I	B
M	Y	E	O	N	L	I	T	S	N	C
X	A	S	T	R	O	N	A	U	T	A
P	C	A	N	T	A	N	T	E	E	P
M	S	R	U	T	R	R	I	O	R	Q
X	P	I	A	N	I	S	T	A	O	Ñ
Q	T	O	M	I	U	T	S	D	K	Y

B **Primero completa la explicación con un verbo del recuadro, luego relaciona con el nombre de la profesión.**

~~detener~~ conducir atender (2) instalar llevar ordenar arreglar apagar cuidar actuar

1. Yo *detengo* a la gente que no cumple la ley. → e)
2. Escribo cartas en el ordenador y ________ los papeles.
3. Trabajo en un hotel. ________ a los clientes que llegan.
4. ________ la contabilidad de una empresa.
5. Trabajo en una tienda, ________ a los clientes.
6. Trabajo en un hospital, ________ a los enfermos.
7. Yo ________ fuegos.
8. Yo ________ en películas y obras de teatro.
9. ________ un taxi.
10. ________ los coches estropeados.
11. ________ enchufes.

a) Actriz.
b) Recepcionista.
c) Dependiente.
d) Taxista.
e) Policía.
f) Secretario.
g) Mecánico.
h) Electricista.
i) Contable.
j) Enfermera.
k) Bombero.

C **Completa las frases con una de las palabras del recuadro.**

sueldo	buscando	se jubiló	~~anuncio~~	empleados
solicitud	han despedido	parado	gano	ascender

1. Blanca, he visto un *anuncio* en el periódico donde buscan enfermeras, ¿por qué no envías tu currículo?
2. Eugenio no tiene suerte, lleva dos meses ________ un trabajo y no lo encuentra.
3. María, ¿has enviado ya la ________ de trabajo a la empresa de Jaime?
4. En esta empresa el ________ no es muy bueno, pero las condiciones de trabajo son estupendas.
5. Mi padre ________ el año pasado con 65 años.
6. Me ha dicho el director que si sigo así, pronto me va a ________ al puesto de jefe de departamento.
7. ¿Te has enterado? Lucía está deprimida porque la ________ después de muchos años de trabajo.
8. A. Hola, ¿qué tal estáis?
   B. Vaya, regular, mi marido está ________, no encuentra trabajo y yo tengo que trabajar en dos sitios.
9. Yo creo que es un chico que te conviene, tiene una empresa de informática con más de 20 ________.
10. A. ¿Qué tal te va en el trabajo?
    B. Bueno, no estoy mal, ahora ________ más que antes, pero también trabajo mucho más.

13. *Tiempo libre (I). Espectáculos: cine, teatro, música*

A ¿Qué tipos de películas te gustan?

	Mucho	No mucho	Nada
a) Comedia.	____	____	____
b) Miedo.	____	____	____
c) Ciencia-ficción.	____	____	____
d) Histórica.	____	____	____
e) Drama.	____	____	____
f) Policíaca.	____	____	____
g) Aventuras.	____	____	____

B **Elige la palabra adecuada.**

1. En su última película, Penélope Cruz no *juega* / hace su papel muy bien.
2. Óscar, tienes que comprar ya *las / los entradas / billetes* para la obra de teatro.
3. ¿Por qué no vamos a la segunda *parte / sesión*? La primera es demasiado pronto.
4. La última vez estuvimos en la *fila / línea* 2 y tuve dolor de cuello dos días.
5. Yo creo que *el / la argumento / historia* no está muy bien contado/a.
6. A mí me gusta más el papel de la actriz secundaria que el de la *primaria / protagonista*.
7. Estás equivocado, en esta película no *actúa / representa* Antonio Banderas.
8. No te preocupes, aunque la película es en *versión / acción* original, tiene subtítulos en español.
9. A mí no me gusta comprar las entradas por Internet, prefiero ir a la *cabina / taquilla*.
10. Esa película ha ganado dos premios Goya, uno al mejor actor *primario / protagonista* y otro a la mejor actriz *secundaria / segunda*.

C **Escribe la palabra correspondiente.**

estreno	~~director~~	telón	ensayo	autor	subtítulo
protagonista	espectador	aficionado	obra	acto	escenario

1. El que dirige una obra de teatro o una película. Director
2. El que ha escrito la obra. ____________
3. El actor más importante. ____________
4. La traducción del diálogo que aparece en la pantalla. ____________
5. Las personas que van a ver una película o una obra. ____________
6. La primera representación. ____________
7. Las actuaciones previas al estreno. ____________
8. Persona a la que le gusta mucho una actividad. ____________
9. Cada una de las partes de que se compone una obra de teatro. ____________
10. Cortina que sube y baja en un escenario. ____________
11. Pieza de teatro para ser representada. ____________
12. Espacio donde se representan las obras de teatro. ____________

D Escribe la letra correspondiente.

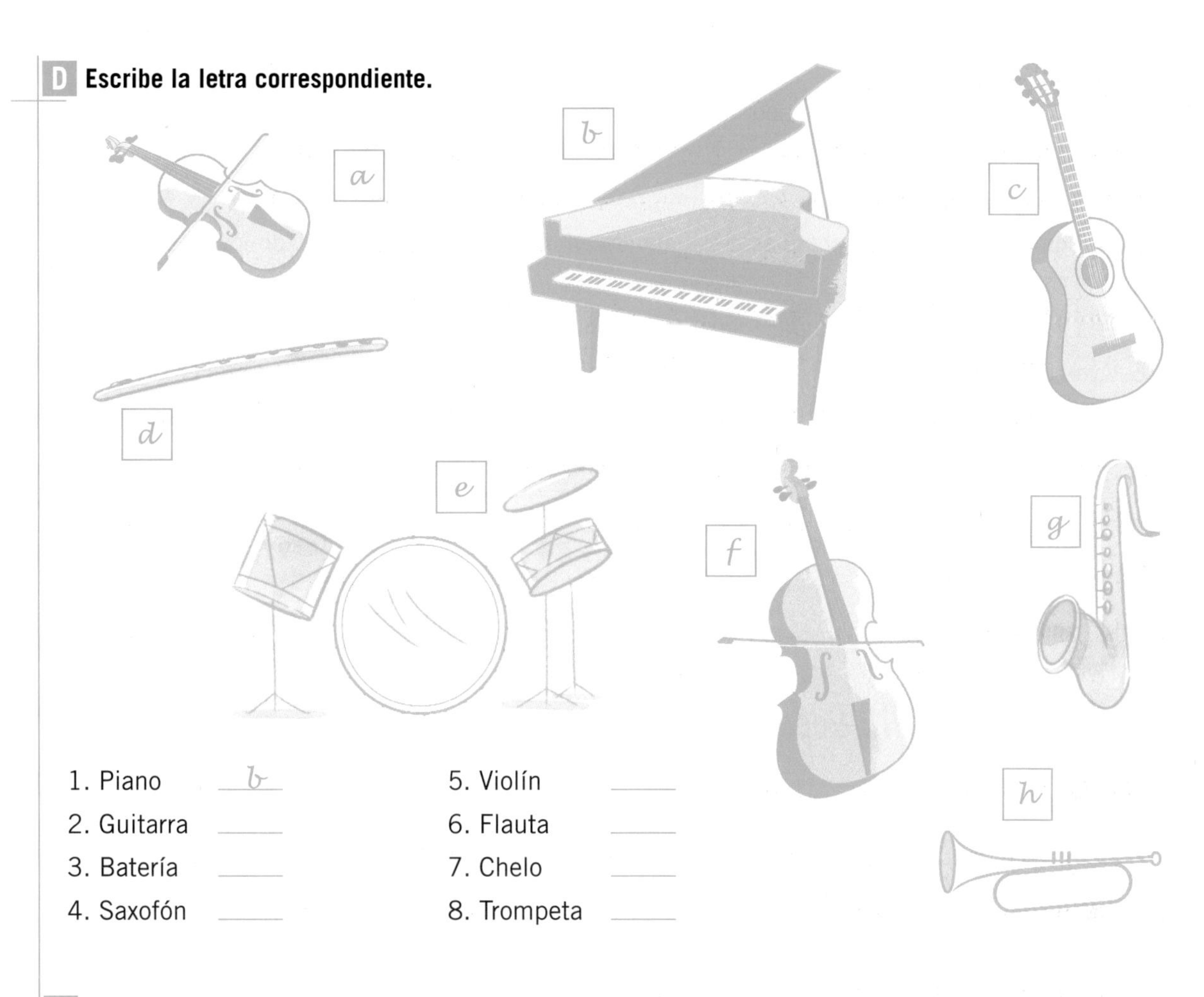

1. Piano ___b___
2. Guitarra ______
3. Batería ______
4. Saxofón ______
5. Violín ______
6. Flauta ______
7. Chelo ______
8. Trompeta ______

E Escribe el nombre de los intérpretes.

1. Piano ___pianista___
2. Guitarra ______________
3. Flauta ______________
4. Trompeta ______________
5. Violín ______________

F Completa con las palabras del recuadro. Sobran dos.

orquesta	jugar	tocar	~~ópera~~	compositores	obra
actuar	interpretó	concierto	grabar	coro	

1. A. ¿Sabes? El sábado fui a la ___ópera___.
   B. ¿Ah sí?, ¿y qué viste?
   A. *Carmen*, de Bizet, estuvo muy bien.

2. A. Hola, ¿está Luis?

   B. No, no está. Los domingos por la tarde va a cantar con su ________________.

3. Bach fue uno de los mejores ________________ del Barroco.

4. A. Y Julia, ¿qué hace?

   B. Como estudió flauta, ahora está trabajando en una ________________ de jóvenes.

5. A. ¿Tú sabes ________________ algún instrumento?

   B. La verdad es que no. Empecé a estudiar guitarra, pero lo dejé.

6. Ayer, Eduardo Martínez ________________ a la guitarra unos preciosos estudios de Fernando Sors.

7. A continuación vamos a escuchar una ________________ de Bach dirigida por Roberto Rubio.

8. El grupo de Miguel Ángel va a dar un ________________ de música rock el viernes por la noche en el estadio de fútbol, ¿vamos a verlo?

9. Luis está muy contento porque dice que va a ________________ un CD con su coro.

14. *Tiempo libre (II). Deportes*

A **Mira los dibujos y escribe el nombre de cada deporte. Búscalo en la sopa de letras.**

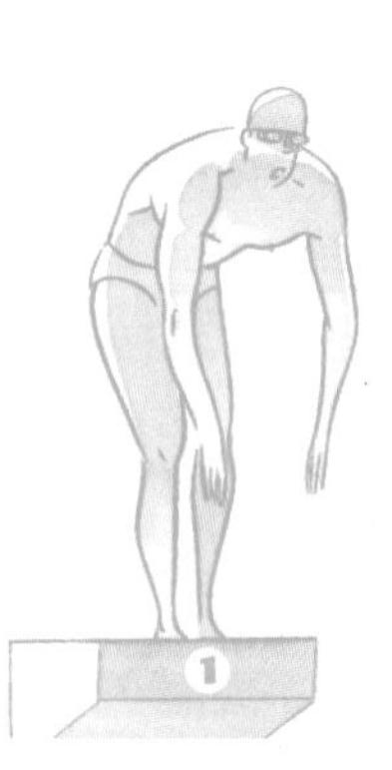

M	P	N	A	I	A	C	I	O	N
O	P	Y	U	R	N	I	V	X	J
T	E	N	I	S	F	C	B	N	U
O	B	M	C	X	U	L	P	R	D
C	A	T	L	E	T	I	S	M	O
I	S	R	V	E	B	S	A	N	E
C	S	R	T	U	O	M	E	F	Z
L	P	A	D	E	L	O	O	X	Q
I	A	C	L	R	O	T	P	I	P
S	E	S	Q	U	I	B	Y	H	O
M	A	L	P	I	N	I	S	M	O
O	T	S	E	C	N	O	L	A	B

1. *Fútbol*
2. ______
3. ______
4. ______
5. ______
6. ______
7. ______
8. ______
9. ______
10. ______
11. ______

B **Escribe cada palabra en la columna correspondiente.**

~~fútbol~~ esquiar botas esquís estadio pista cancha natación bañador baloncesto tenis piscina traje de nieve camiseta y pantalones cortos raqueta

Deporte	Lugar	Equipamiento
Fútbol		

C Relaciona.

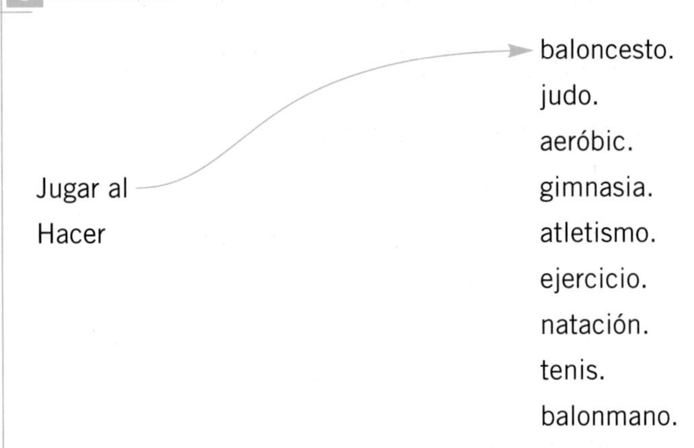

Jugar al
Hacer

baloncesto.
judo.
aeróbic.
gimnasia.
atletismo.
ejercicio.
natación.
tenis.
balonmano.

D Subraya la palabra más adecuada.

1. El *final / resultado* del encuentro fue tres a uno a favor del Valencia.
2. A mis hijos no les gustan nada los *ejercicios / deportes* de riesgo.
3. Si quieres hacer windsurf necesitas una *tabla / vela* nueva.
4. Antes *íbamos / hacíamos* mucho de *camping*.
5. Todos los lunes y miércoles *hago / nado* media hora en la piscina.
6. Si quieres mantenerte en forma tienes que *hacer / jugar* algo de ejercicio.
7. Jorge le ha pedido a los Reyes un *vestido / traje* de fútbol.
8. En mi pueblo están construyendo una *cancha / pista* nueva para jugar al baloncesto.
9. A pesar de que el árbitro *pitó / gritó* falta, el futbolista siguió jugando.
10. A mí me parece que *hacer / jugar* judo es muy útil para los niños.

E Completa con las palabras del recuadro.

gol (2)	banquillo	falta	marcó (2)	árbitro	espectadores
marcador	minuto	jugador	estadio	~~partido~~	

El otro día vi un *partido* (1) de fútbol en la tele. Jugaban el Real Madrid y el Barcelona en el ________ (2) Santiago Bernabéu. En la primera parte, Raúl cometió una ________ (3), y el ________ (4) le sacó una tarjeta amarilla. En la segunda parte, Raúl tuvo que quedarse en el ________ (5) y salió Ronaldo, que ________ (6) el primer ________ (7) para el Madrid. A continuación el ________ (8) del Barcelona, Decco, ________ (9) el segundo ________ (10) del encuentro. Los ________ (11) estaban muy nerviosos por el empate, hasta que Guti consiguió cambiar el ________ (12) con un gol en el último ________ (13).

15. *Ropa*

A **Relaciona los dibujos con las frases.**

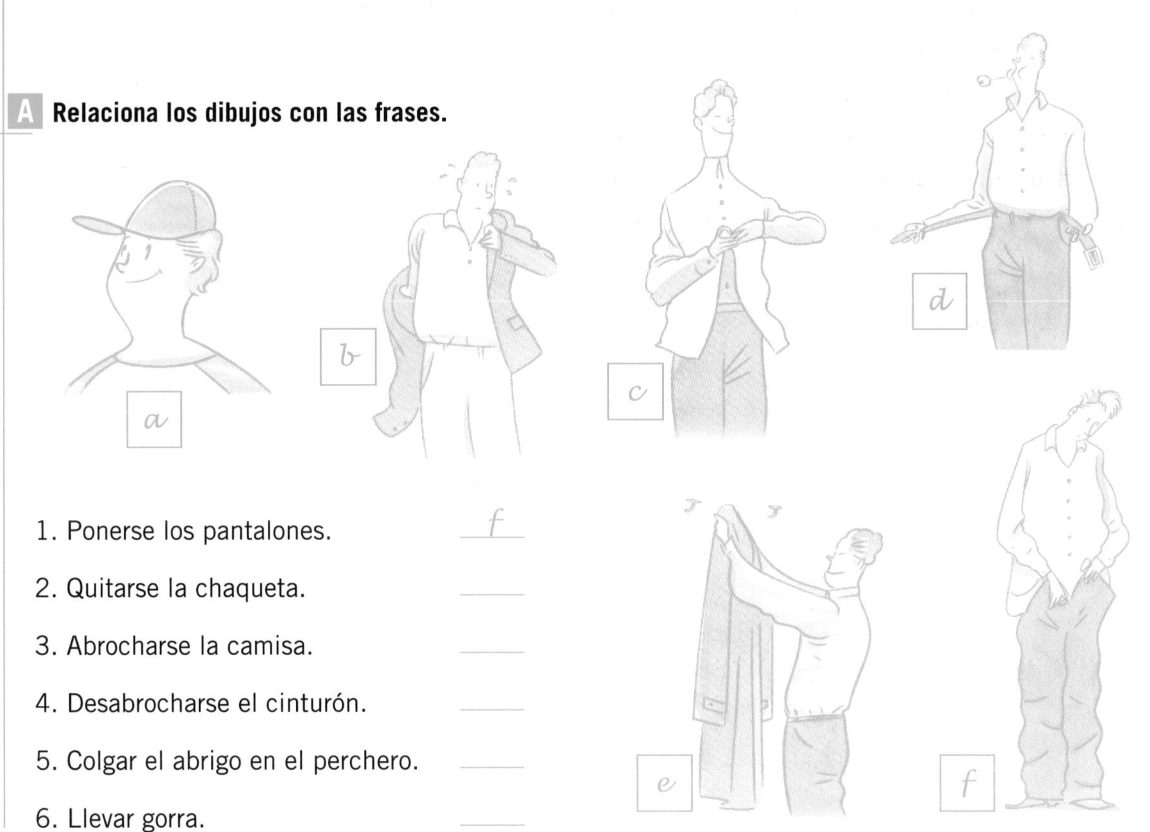

1. Ponerse los pantalones. *f*
2. Quitarse la chaqueta. ____
3. Abrocharse la camisa. ____
4. Desabrocharse el cinturón. ____
5. Colgar el abrigo en el perchero. ____
6. Llevar gorra. ____

B **Observa los dibujos y descubre los 3 errores que hay en las frases.**

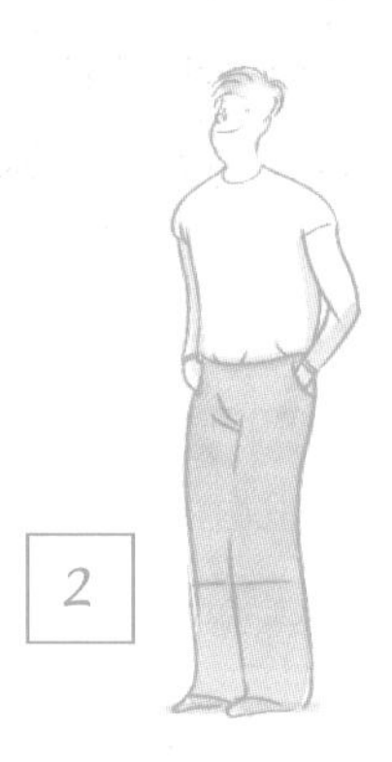

1. Mariluz lleva una blusa de manga larga, una falda de rayas y unos zapatos de tacón.
2. Javier lleva una camiseta de manga corta y unos pantalones cortos.
3. Carmen lleva una camiseta sin mangas, un pantalón de cuadros y unas sandalias.

Escribe las frases correspondientes a las imágenes:

1. *Mariluz lleva una blusa de manga corta, una falda de rayas y unos zapatos de tacón.*
2. ______________________________.
3. ______________________________.

C **Clasifica las palabras en la columna correspondiente.**

~~bufanda~~	sandalias	botas	camiseta de manga corta	abrigo
calcetines	gabardina	pantalón corto	guantes	gorro
bikini	pendientes	cinturón	collar	

Lo usamos en verano	Lo usamos en invierno	Complementos de la ropa
	Bufanda	

D **Completa los diálogos con estas palabras.**

talla | sólo estoy mirando | me los llevo | ~~escaparate~~ | número | en efectivo | ¿dónde están los probadores? | está agotado | están rebajados

1. A. Buenos días, ¿qué desea?
   B. Quiero unos pantalones negros como los del *escaparate*.
   A. ¿De qué ______________?
   B. 42.
   A. Tome, puede probárselos si quiere.
   B. ¿______________________?
   A. Al fondo a la derecha.
2. A. Buenos días, ¿puedo ayudarle?
   B. No, gracias, ______________.
3. A. ¿Tiene otros vestidos más baratos?
   B. Sí, mire, estos ______________.
4. A. ¿Le gustan los pendientes?
   B. Sí, ______________.
   A. Muy bien, ¿va a pagar ______________ o con tarjeta?
5. A. Perdone, ¿tiene estos zapatos en marrón?
   B. ¿Qué ______________?
   A. 38.
   B. No, el 38 ______________.

E **Relaciona la palabra con su definición.**

1. Ir de compras. → c
2. Hacer la compra.
3. Escaparate.
4. Centro comercial.
5. Dependiente.
6. Tarjeta de crédito.

a) Persona que trabaja en una tienda.
b) Documento que sirve para comprar sin llevar dinero.
c) Comprar ropa, regalos, etc.
d) Lugar donde se exponen los artículos de la tienda.
e) Comprar comida y cosas para la casa.
f) Lugar con muchas tiendas, a veces también con restaurantes, cines...

16. *Adjetivos de carácter*

A Clasifica los siguientes adjetivos.

1. Optimista.
2. Antipático/a.
3. Falso/a.
4. Pesimista.
5. Vago/a.
6. Tacaño/a.
7. Aburrido/a.
8. Generoso/a.
9. Simpático/a.
10. Divertido/a.
11. Sincero/a.
12. Trabajador/a.
13. Tímido/a.
14. Sociable.

Significado positivo	Significado negativo
Optimista	*Antipático*

B Escribe las parejas con significado contrario.

1-4, ______, ______, ______, ______, ______, ______.

C Escribe las palabras con significado contrario añadiendo un prefijo: in-, des-, mal-.

1. Sensible *Insensible*
2. Tolerante ______
3. Puntual ______
4. Educado ______
5. Solidario ______
6. Honesto ______

D Completa con las palabras de los ejercicios A y C.

1. Tiene ya 45 años y nunca ha trabajado, es muy *vago*.
2. Juan es un ______, hace años que lo conozco y nunca me ha invitado a tomar un café.
3. No me gusta tu jefe, no acepta a las personas que son diferentes, creo que es muy poco ______.
4. A. ¿Qué le pasa a María, está enfadada?

   B. No, es que es muy ______, habla poco, sobre todo con personas desconocidas.

   A. Pues su novio no es así, es mucho más ______.

   B. Sí, le encanta conocer gente nueva y es el que ha organizado esta fiesta.

5. ¡Qué raro que no haya llegado Yolanda todavía! Ella es bastante ______________________, no suele llegar tarde.
6. A. Carlos ha ido a hacer una entrevista de trabajo pero está seguro de que no lo van a contratar.
   B. Siempre piensa en lo peor, es demasiado ______________________.
7. Tu hermano me cae muy bien, siempre dice lo que piensa, es muy ______________________.
8. A. ¿Has visto a Pedro? Ha pasado por nuestro lado y no nos ha saludado.
   B. Sí, es que es un ______________________.

17. *Verbos contrarios*

A Escribe un verbo del recuadro debajo de la imagen correspondiente.

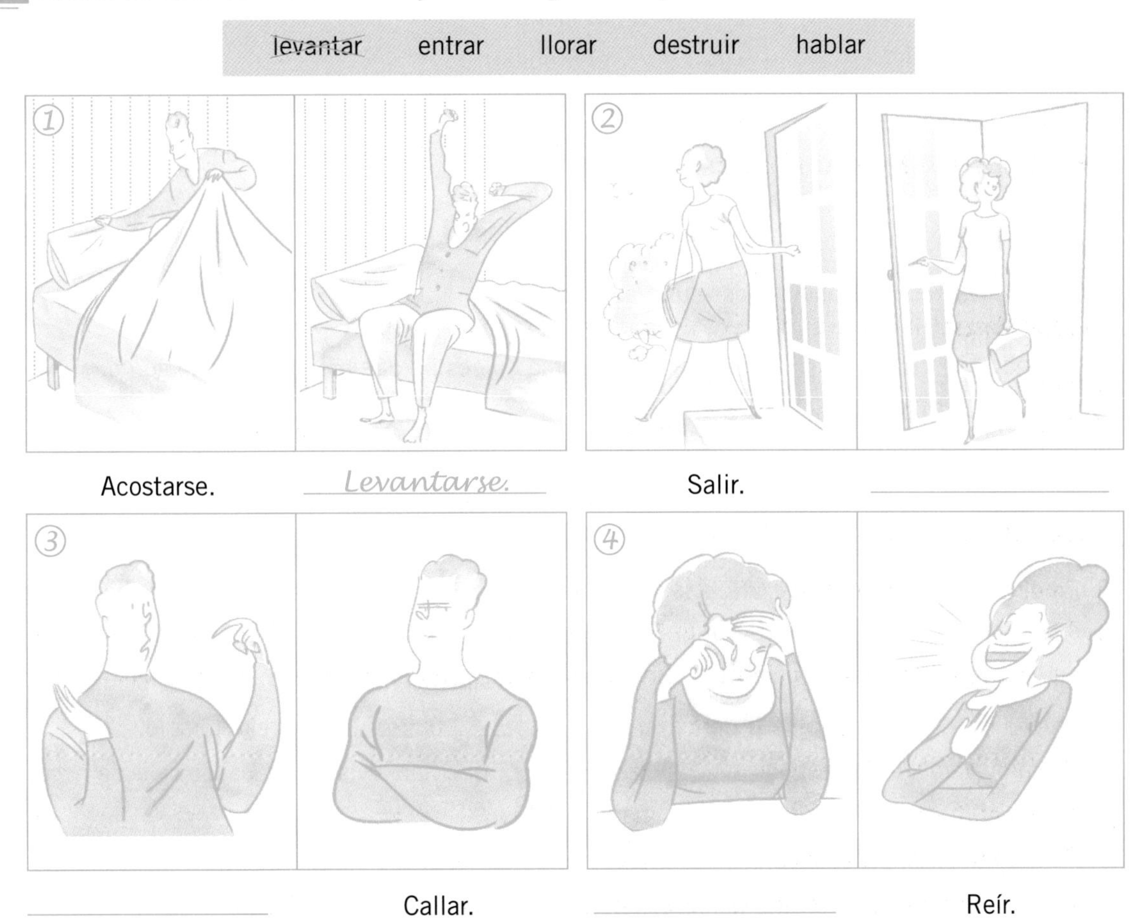

Construir. ______________

B **Relaciona cada verbo con su contrario.**

1. Ganar.	a) Apagar.
2. Permitir.	b) Recordar.
3. Afirmar.	c) Rechazar.
4. Olvidar.	d) Morir.
5. Ponerse.	e) Prohibir.
6. Encender.	f) Perder.
7. Aceptar.	g) Negar.
8. Vivir.	h) Quitarse.

C **Completa las frases con uno de los verbos anteriores.**

1. El médico le *ha prohibido* a Jorge que coma dulces porque está demasiado gordo.
2. Invitamos a Roberto a nuestra boda pero él ______________ la invitación.
3. Últimamente mi equipo tiene mala suerte, ______________ todos los partidos.
4. Jaime, ¿______________ aquella película que vimos la primera vez que salimos juntos?, pues la ponen hoy en la tele.
5. En el juicio el acusado ______________ su participación en el robo, aseguró que era inocente.
6. Óscar, ______________ el abrigo, que hace frío.
7. Mi abuelo Federico nació y ______________ en el mismo pueblo, ______________ siempre allí.
8. Amelia me dio un libro para ti pero ayer me ______________ dártelo, tómalo.
9. En su declaración, el testigo ______________ que había visto al acusado salir de la casa de la víctima a las diez y cuarto de la mañana.
10. Me querían pagar por el trabajo, pero yo no ______________ el dinero porque era mi obligación hacerlo.
11. Julia, ______________ la luz, tenemos que ahorrar energía.

D Elige el verbo adecuado.

1. María Luisa ha vendido / *ha comprado* los muebles que heredó de su tío.
2. A los vecinos les han cortado la luz por no *cobrar / pagar* los recibos.
3. ¿Cuándo vas a *llevar / traer* a los niños al zoo?
4. A Dimitri le *han denegado / han concedido* otra vez el permiso de residencia y está bastante deprimido.
5. ¿Por qué me *has traído / has llevado* este perro a casa?, no me gustan nada los animales.
6. Sr. Martínez, ¿puedo *salir / entrar* del trabajo hoy un poco antes? Tengo que ir a ver al notario.
7. ¿De dónde *vas / vienes* a estas horas? Son las doce de la noche.
8. Mira qué vestido más bonito. ¿Por qué no te lo *compras / vendes* para la Nochevieja?
9. ¿Quién se *ha llevado / ha traído* mi periódico? Lo dejé aquí.
10. Hice un trabajo para la editorial hace dos meses y todavía no lo *he pagado / he cobrado*.
11. Antonio y Ana están muy contentos porque por fin les *han concedido / han denegado* el préstamo para comprarse un piso.
12. Ahora no puedes *entrar / salir* en el despacho del jefe, está ocupado.

E Escribe el verbo contrario.

1. Conceder Denegar
2. Ponerse ______
3. Construir ______
4. Permitir ______
5. Encender ______
6. Pagar ______
7. Llevar ______
8. Rechazar ______
9. Entrar ______
10. Callar ______
11. Afirmar ______
12. Olvidar ______
13. Ganar ______
14. Morir ______

Verbos

Verbos regulares

► TRABAJAR

INDICATIVO

Presente	Pretérito indefinido	Pretérito imperfecto	Futuro
trabaj**o**	trabaj**é**	trabaj**aba**	trabaj**aré**
trabaj**as**	trabaj**aste**	trabaj**abas**	trabaj**arás**
trabaj**a**	trabaj**ó**	trabaj**aba**	trabaj**ará**
trabaj**amos**	trabaj**amos**	trabaj**ábamos**	trabaj**aremos**
trabaj**áis**	trabaj**asteis**	trabaj**abais**	trabaj**aréis**
trabaj**an**	trabaj**aron**	trabaj**aban**	trabaj**arán**

Pretérito perfecto	Pretérito pluscuamperfecto
he trabaj**ado**	había trabaj**ado**
has trabaj**ado**	habías trabaj**ado**
ha trabaj**ado**	había trabaj**ado**
hemos trabaj**ado**	habíamos trabaj**ado**
habéis trabaj**ado**	habíais trabaj**ado**
han trabaj**ado**	habían trabaj**ado**

IMPERATIVO

(Afirmativo/negativo)	
trabaj**a** / no trabaj**es**	(tú)
trabaj**e** / no trabaj**e**	(Vd.)
trabaj**ad** / no trabaj**éis**	(vosotros)
trabaj**en** / no trabaj**en**	(Vds.)

SUBJUNTIVO

Presente	Pretérito perfecto	Pretérito imperfecto
trabaj**e**	haya trabaj**ado**	trabaj**ara** / trabaj**ase**
trabaj**es**	hayas trabaj**ado**	trabaj**aras** / trabaj**ases**
trabaj**e**	haya trabaj**ado**	trabaj**ara** / trabaj**ase**
trabaj**emos**	hayamos trabaj**ado**	trabaj**áramos** / trabaj**ásemos**
trabaj**éis**	hayáis trabaj**ado**	trabaj**arais** / trabaj**aseis**
trabaj**en**	hayan trabaj**ado**	trabaj**aran** / trabaj**asen**

► COMER

INDICATIVO

Presente	Pretérito indefinido	Pretérito imperfecto	Futuro
com**o**	com**í**	com**ía**	com**eré**
com**es**	com**iste**	com**ías**	com**erás**
com**e**	com**ió**	com**ía**	com**erá**
com**emos**	com**imos**	com**íamos**	com**eremos**
com**éis**	com**isteis**	com**íais**	com**eréis**
com**en**	com**ieron**	com**ían**	com**erán**

Pretérito perfecto	Pretérito pluscuamperfecto	IMPERATIVO (Afirmativo/negativo)	
he com**ido**	había com**ido**	com**e** / no com**as**	(tú)
has com**ido**	habías com**ido**	com**a** / no com**a**	(Vd.)
ha com**ido**	había com**ido**	com**ed** / no com**áis**	(vosotros)
hemos com**ido**	habíamos com**ido**	com**an** / no com**an**	(Vds.)
habéis com**ido**	habíais com**ido**		
han com**ido**	habían com**ido**		

SUBJUNTIVO

Presente	Pretérito perfecto	Pretérito imperfecto
com**a**	haya com**ido**	com**iera** / com**iese**
com**as**	hayas com**ido**	com**ieras** / com**ieses**
com**a**	haya com**ido**	com**iera** / com**iese**
com**amos**	hayamos com**ido**	com**iéramos** / com**iésemos**
com**áis**	hayáis com**ido**	com**ierais** / com**ieseis**
com**an**	hayan com**ido**	com**ieran** / com**iesen**

VIVIR

INDICATIVO

Presente	Pretérito indefinido	Pretérito imperfecto	Futuro
viv**o**	viv**í**	viv**ía**	viv**iré**
viv**es**	viv**iste**	viv**ías**	viv**irás**
viv**e**	viv**ió**	viv**ía**	viv**irá**
viv**imos**	viv**imos**	viv**íamos**	viv**iremos**
viv**ís**	viv**isteis**	viv**íais**	viv**iréis**
viv**en**	viv**ieron**	viv**ían**	viv**irán**

Pretérito perfecto	Pretérito pluscuamperfecto
he viv**ido**	había viv**ido**
has viv**ido**	habías viv**ido**
ha viv**ido**	había viv**ido**
hemos viv**ido**	habíamos viv**ido**
habéis viv**ido**	habíais viv**ido**
han viv**ido**	habían viv**ido**

IMPERATIVO

(Afirmativo/negativo)	
viv**e** / no viv**as**	(tú)
viv**a** / no viv**a**	(Vd.)
viv**id** / no viv**áis**	(vosotros)
viv**an** / no viv**an**	(Vds.)

SUBJUNTIVO

Presente	Pretérito perfecto	Pretérito imperfecto
viv**a**	haya viv**ido**	viv**iera** / viv**iese**
viv**as**	hayas viv**ido**	viv**ieras** / viv**ieses**
viv**a**	haya viv**ido**	viv**iera** / viv**iese**
viv**amos**	hayamos viv**ido**	viv**iéramos** / viv**iésemos**
viv**áis**	hayáis viv**ido**	viv**ierais** / viv**ieseis**
viv**an**	hayan viv**ido**	viv**ieran** / viv**iesen**

Verbos irregulares

ACORDAR(SE)

INDICATIVO			IMPERATIVO		SUBJUNTIVO	
Presente	Indefinido	Futuro			Presente	Pretérito imperfecto
(me) acuerdo	acordé	acordaré	acuérda(te)	(tú)	acuerde	acordara/acordase
(te) acuerdas	acordaste	acordarás	acuérde(se)	(Vd.)	acuerdes	acordaras/acordases
(se) acuerda	acordó	acordará	acorda(os)	(vos.)	acuerde	acordara/acordase
(nos) acordamos	acordamos	acordaremos	acuérden(se)	(Vds.)	acordemos	acordáramos/acordásemos
(os) acordáis	acordasteis	acordaréis			acordéis	acordarais/acordaseis
(se) acuerdan	acordaron	acordarán			acuerden	acordaran/acordasen

ACOSTAR(SE)

INDICATIVO			IMPERATIVO		SUBJUNTIVO	
Presente	Indefinido	Futuro			Presente	Pretérito imperfecto
(me) acuesto	acosté	acostaré	acuésta(te)	(tú)	acueste	acostara/acostase
(te) acuestas	acostaste	acostarás	acuéste(se)	(Vd.)	acuestes	acostaras/acostases
(se) acuesta	acostó	acostará	acosta(os)	(vos.)	acueste	acostara/acostase
(nos) acostamos	acostamos	acostaremos	acuésten(se)	(Vds.)	acostemos	acostáramos/acostásemos
(os) acostáis	acostasteis	acostaréis			acostéis	acostarais/acostaseis
(se) acuestan	acostaron	acostarán			acuesten	acostaran/acostasen

ANDAR

INDICATIVO			IMPERATIVO		SUBJUNTIVO	
Presente	Indefinido	Futuro			Presente	Pretérito imperfecto
ando	anduve	andaré	anda	(tú)	ande	anduviera/anduviese
andas	anduviste	andarás	ande	(Vd.)	andes	anduvieras/anduvieses
anda	anduvo	andará	andad	(vos.)	ande	anduviera/anduviese
andamos	anduvimos	andaremos	anden	(Vds.)	andemos	anduviéramos/anduviésemos
andáis	anduvisteis	andaréis			andéis	anduvierais/anduvieseis
andan	anduvieron	andarán			anden	anduvieran/anduviesen

APROBAR

INDICATIVO			IMPERATIVO	SUBJUNTIVO	
Presente	Indefinido	Futuro		Presente	Pretérito imperfecto
apruebo	aprobé	aprobaré	aprueba (tú)	apruebe	aprobara/aprobase
apruebas	aprobaste	aprobarás	apruebe (Vd.)	apruebes	aprobaras/aprobases
aprueba	aprobó	aprobará	aprobad (vos.)	apruebe	aprobara/aprobase
aprobamos	aprobamos	aprobaremos	aprueben (Vds.)	aprobemos	aprobáramos/aprobásemos
aprobáis	aprobasteis	aprobaréis		aprobéis	aprobarais/aprobaseis
aprueban	aprobaron	aprobarán		aprueben	aprobaran/aprobasen

CERRAR

INDICATIVO			IMPERATIVO	SUBJUNTIVO	
Presente	Indefinido	Futuro		Presente	Pretérito imperfecto
cierro	cerré	cerraré	cierra (tú)	cierre	cerrara/cerrase
cierras	cerraste	cerrarás	cierre (Vd.)	cierres	cerraras/cerrases
cierra	cerró	cerrará	cerrad (vos.)	cierre	cerrara/cerrase
cerramos	cerramos	cerraremos	cierren (Vds.)	cerremos	cerráramos/cerrásemos
cerráis	cerrasteis	cerraréis		cerréis	cerrarais/cerraseis
cierran	cerraron	cerrarán		cierren	cerraran/cerrasen

CONOCER

INDICATIVO			IMPERATIVO	SUBJUNTIVO	
Presente	Indefinido	Futuro		Presente	Pretérito imperfecto
conozco	conocí	conoceré	conoce (tú)	conozca	conociera/conociese
conoces	conociste	conocerás	conozca (Vd.)	conozcas	conocieras/conocieses
conoce	conoció	conocerá	conoced (vos.)	conozca	conociera/conociese
conocemos	conocimos	conoceremos	conozcan (Vds.)	conozcamos	conociéramos/conociésemos
conocéis	conocisteis	conoceréis		conozcáis	conocierais/conocieseis
conocen	conocieron	conocerán		conozcan	conocieran/conociesen

DAR

INDICATIVO			IMPERATIVO		SUBJUNTIVO	
Presente	Indefinido	Futuro			Presente	Pretérito imperfecto
doy	di	daré	da	(tú)	dé	diera/diese
das	diste	darás	dé	(Vd.)	des	dieras/dieses
da	dio	dará	dad	(vos.)	dé	diera/diese
damos	dimos	daremos	den	(Vds.)	demos	diéramos/diésemos
dais	disteis	daréis			deis	dierais/dieseis
dan	dieron	darán			den	dieran/diesen

DECIR

INDICATIVO			IMPERATIVO		SUBJUNTIVO	
Presente	Indefinido	Futuro			Presente	Pretérito imperfecto
digo	dije	diré	di	(tú)	diga	dijera/dijese
dices	dijiste	dirás	diga	(Vd.)	digas	dijeras/dijeses
dice	dijo	dirá	decid	(vos.)	diga	dijera/dijese
decimos	dijimos	diremos	digan	(Vds.)	digamos	dijéramos/dijésemos
decís	dijisteis	diréis			digáis	dijerais/dijeseis
dicen	dijeron	dirán			digan	dijeran/dijesen

DESPERTAR(SE)

INDICATIVO			IMPERATIVO		SUBJUNTIVO	
Presente	Indefinido	Futuro			Presente	Pretérito imperfecto
(me) despierto	desperté	despertaré	despierta	(tú)	despierte	despertara/despertase
(te) despiertas	despertaste	despertarás	despierte	(Vd.)	despiertes	despertaras/despertases
(se) despierta	despertó	despertará	desperta(os)	(vos.)	despierte	despertara/despertase
(nos) despertamos	despertamos	despertaremos	despierten	(Vds.)	despertemos	despertáramos/despertásemos
(os) despertáis	despertasteis	despertaréis			despertéis	despertarais/despertaseis
(se) despiertan	despertaron	despertarán			despierten	despertaran/despertasen

DIVERTIR(SE)

INDICATIVO			IMPERATIVO	SUBJUNTIVO	
Presente	Indefinido	Futuro		Presente	Pretérito imperfecto
(me) divierto	divertí	divertiré	diviérte(te) (tú)	divierta	divirtiera/divirtiese
(te) diviertes	divertiste	divertirás	diviérta(se) (Vd.)	diviertas	divirtieras/divirtieses
(se) divierte	divirtió	divertirá	divertí(os) (vos.)	divierta	divirtiera/divirtiese
(nos) divertimos	divertimos	divertiremos	diviértan(se) (Vds.)	divirtamos	divirtiéramos/divirtiésemos
(os) divertís	divertisteis	divertiréis		divirtáis	divirtierais/divirtieseis
(se) divierten	divirtieron	divertirán		diviertan	divirtieran/divirtiesen

DORMIR

INDICATIVO			IMPERATIVO	SUBJUNTIVO	
Presente	Indefinido	Futuro		Presente	Pretérito imperfecto
duermo	dormí	dormiré	duerme (tú)	duerma	durmiera/durmiese
duermes	dormiste	dormirás	duerma (Vd.)	duermas	durmieras/durmieses
duerme	durmió	dormirá	dormid (vos.)	duerma	durmiera/durmiese
dormimos	dormimos	dormiremos	duerman (Vds.)	durmamos	durmiéramos/durmiésemos
dormís	dormisteis	dormiréis		durmáis	durmierais/durmieseis
duermen	durmieron	dormirán		duerman	durmieran/durmiesen

EMPEZAR

INDICATIVO			IMPERATIVO	SUBJUNTIVO	
Presente	Indefinido	Futuro		Presente	Pretérito imperfecto
empiezo	empecé	empezaré	empieza (tú)	empiece	empezara/empezase
empiezas	empezaste	empezarás	empiece (Vd.)	empieces	empezaras/empezases
empieza	empezó	empezará	empezad (vos.)	empiece	empezara/empezase
empezamos	empezamos	empezaremos	empiecen (Vds.)	empecemos	empezáramos/empezásemos
empezáis	empezasteis	empezaréis		empecéis	empezarais/empezaseis
empiezan	empezaron	empezarán		empiecen	empezaran/empezasen

ENCONTRAR

INDICATIVO			IMPERATIVO	SUBJUNTIVO	
Presente	Indefinido	Futuro		Presente	Pretérito imperfecto
encuentro	encontré	encontraré	encuentra (tú)	encuentre	encontrara/encontrase
encuentras	encontraste	encontrarás	encuentre (Vd.)	encuentres	encontraras/encontrases
encuentra	encontró	encontrará	encontrad (vos.)	encuentre	encontrara/encontrase
encontramos	encontramos	encontraremos	encuentren (Vds.)	encontremos	encontráramos/encontrásemos
encontráis	encontrasteis	encontraréis		encontréis	encontrarais/encontraseis
encuentran	encontraron	encontrarán		encuentren	encontraran/encontrasen

ESTAR

INDICATIVO			IMPERATIVO	SUBJUNTIVO	
Presente	Indefinido	Futuro		Presente	Pretérito imperfecto
estoy	estuve	estaré	está/no estés (tú)	esté	estuviera/estuviese
estás	estuviste	estarás	esté/no esté (Vd.)	estés	estuvieras/estuvieses
está	estuvo	estará	estad/no estéis (vos.)	esté	estuviera/estuviese
estamos	estuvimos	estaremos	estén/no estén (Vds.)	estemos	estuviéramos/estuviésemos
estáis	estuvisteis	estaréis		estéis	estuvierais/estuvieseis
están	estuvieron	estarán		estén	estuvieran/estuviesen

HACER

INDICATIVO			IMPERATIVO	SUBJUNTIVO	
Presente	Indefinido	Futuro		Presente	Pretérito imperfecto
hago	hice	haré	haz/no hagas (tú)	haga	hiciera/hiciese
haces	hiciste	harás	haga/no haga (Vd.)	hagas	hicieras/hicieses
hace	hizo	hará	haced/no hagáis (vos.)	haga	hiciera/hiciese
hacemos	hicimos	haremos	hagan/no hagan (Vds.)	hagamos	hiciéramos/hiciésemos
hacéis	hicisteis	haréis		hagáis	hicierais/hicieseis
hacen	hicieron	harán		hagan	hicieran/hiciesen

HABER

INDICATIVO			IMPERATIVO		SUBJUNTIVO	
Presente	Indefinido	Futuro			Presente	Pretérito imperfecto
he	hube	habré	he/no hayas	(tú)	haya	hubiera/hubiese
has	hubiste	habrás	haya/no haya	(Vd.)	hayas	hubieras/hubieses
ha	hubo	habrá	habed/no hayáis	(vos.)	haya	hubiera/hubiese
hemos	hubimos	habremos	hayan/no hayan	(Vds.)	hayamos	hubiéramos/hubiésemos
habéis	hubisteis	habréis			hayáis	hubierais/hubieseis
han	hubieron	habrán			hayan	hubieran/hubiesen

IR

INDICATIVO			IMPERATIVO		SUBJUNTIVO	
Presente	Indefinido	Futuro			Presente	Pretérito imperfecto
voy	fui	iré	ve/no vayas	(tú)	vaya	fuera/fuese
vas	fuiste	irás	vaya/no vaya	(Vd.)	vayas	fueras/fueses
va	fue	irá	id/no vayáis	(vos.)	vaya	fuera/fuese
vamos	fuimos	iremos	vayan/no vayan	(Vds.)	vayamos	fuéramos/fuésemos
vais	fuisteis	iréis			vayáis	fuerais/fueseis
van	fueron	irán			vayan	fueran/fuesen

JUGAR

INDICATIVO			IMPERATIVO		SUBJUNTIVO	
Presente	Indefinido	Futuro			Presente	Pretérito imperfecto
juego	jugué	jugaré	juega/no juegues	(tú)	juegue	jugara/jugase
juegas	jugaste	jugarás	juegue/no juegue	(Vd.)	juegues	jugaras/jugases
juega	jugó	jugará	jugad/no juguéis	(vos.)	juegue	jugara/jugase
jugamos	jugamos	jugaremos	jueguen/no jueguen	(Vds.)	juguemos	jugáramos/jugásemos
jugáis	jugasteis	jugaréis			juguéis	jugarais/jugaseis
juegan	jugaron	jugarán			jueguen	jugaran/jugasen

LEER

INDICATIVO			IMPERATIVO		SUBJUNTIVO	
Presente	Indefinido	Futuro			Presente	Pretérito imperfecto
leo	leí	leeré	lee /no leas	(tú)	lea	leyera/leyese
lees	leíste	leerás	lea/no lea	(Vd.)	leas	leyeras/leyeses
lee	leyó	leerá	leed/no leáis	(vos.)	lea	leyera/leyese
leemos	leímos	leeremos	lean/no lean	(Vds.)	leamos	leyéramos/leyésemos
leéis	leísteis	leeréis			leáis	leyerais/leyeseis
leen	leyeron	leerán			lean	leyeran/leyesen

OÍR

INDICATIVO			IMPERATIVO		SUBJUNTIVO	
Presente	Indefinido	Futuro			Presente	Pretérito imperfecto
oigo	oí	oiré	oye/no oigas	(tú)	oiga	oyera/oyese
oyes	oíste	oirás	oiga/no oiga	(Vd.)	oigas	oyeras/oyeses
oye	oyó	oirá	oíd/no oigáis	(vos.)	oiga	oyera/oyese
oímos	oímos	oiremos	oigan/no oigan	(Vds.)	oigamos	oyéramos/oyésemos
oís	oísteis	oiréis			oigáis	oyerais/oyeseis
oyen	oyeron	oirán			oigan	oyeran/oyesen

PEDIR

INDICATIVO			IMPERATIVO		SUBJUNTIVO	
Presente	Indefinido	Futuro			Presente	Pretérito imperfecto
pido	pedí	pediré	pide/no pidas	(tú)	pida	pidiera/pidiese
pides	pediste	pedirás	pida/no pida	(Vd.)	pidas	pidieras/pidieses
pide	pidió	pedirá	pedid/no pidáis	(vos.)	pida	pidiera/pidiese
pedimos	pedimos	pediremos	pidan/no pidan	(Vds.)	pidamos	pidiéramos/pidiésemos
pedís	pedisteis	pediréis			pidáis	pidierais/pidieseis
piden	pidieron	pedirán			pidan	pidieran/pidiesen

► PREFERIR

INDICATIVO			IMPERATIVO		SUBJUNTIVO	
Presente	**Indefinido**	**Futuro**			**Presente**	**Pretérito imperfecto**
prefiero	preferí	preferiré	prefiere/no prefieras	(tú)	prefiera	prefiriera/prefiriese
prefieres	preferiste	preferirás	prefiera/no prefiera	(Vd.)	prefieras	prefirieras/prefirieses
prefiere	prefirió	preferirá	preferid/no prefiráis	(vos.)	prefiera	prefiriera/prefiriese
preferimos	preferimos	preferiremos	prefieran/no prefieran	(Vds.)	prefiramos	prefiriéramos/prefiriésemos
preferís	preferisteis	preferiréis			prefiráis	prefirierais/prefirieseis
prefieren	prefirieron	preferirán			prefieran	prefirieran/prefiriesen

► PODER

INDICATIVO			IMPERATIVO		SUBJUNTIVO	
Presente	**Indefinido**	**Futuro**			**Presente**	**Pretérito imperfecto**
puedo	pude	podré	puede/no puedas	(tú)	pueda	pudiera/pudiese
puedes	pudiste	podrás	pueda/no pueda	(Vd.)	puedas	pudieras/pudieses
puede	pudo	podrá	poded/no podáis	(vos.)	pueda	pudiera/pudiese
podemos	pudimos	podremos	puedan/no puedan	(Vds.)	podamos	pudiéramos/pudiésemos
podéis	pudisteis	podréis			podáis	pudierais/pudieseis
pueden	pudieron	podrán			puedan	pudieran/pudiesen

► PONER

INDICATIVO			IMPERATIVO		SUBJUNTIVO	
Presente	**Indefinido**	**Futuro**			**Presente**	**Pretérito imperfecto**
pongo	puse	pondré	pon/no pongas	(tú)	ponga	pusiera/pusiese
pones	pusiste	pondrás	ponga/no ponga	(Vd.)	pongas	pusieras/pusieses
pone	puso	pondrá	poned/no pongáis	(vos.)	ponga	pusiera/pusiese
ponemos	pusimos	pondremos	pongan/no pongan	(Vds.)	pongamos	pusiéramos/pusiésemos
ponéis	pusisteis	pondréis			pongáis	pusierais/pusieseis
ponen	pusieron	pondrán			pongan	pusieran/pusiesen

► QUERER

INDICATIVO			IMPERATIVO		SUBJUNTIVO	
Presente	Indefinido	Futuro			Presente	Pretérito imperfecto
quiero	quise	querré	quiere/no quieras	(tú)	quiera	quisiera/quisiese
quieres	quisiste	querrás	quiera/no quiera	(Vd.)	quieras	quisieras/quisieses
quiere	quiso	querrá	quered/no queráis	(vos.)	quiera	quisiera/quisiese
queremos	quisimos	querremos	quieran/no quieran	(Vds.)	queramos	quisiéramos/quisiésemos
queréis	quisisteis	querréis			queráis	quisierais/quisieseis
quieren	quisieron	querrán			quieran	quisieran/quisiesen

► RECORDAR

INDICATIVO			IMPERATIVO		SUBJUNTIVO	
Presente	Indefinido	Futuro			Presente	Pretérito imperfecto
recuerdo	recordé	recordaré	recuerda/no recuerdes	(tú)	recuerde	recordara/recordase
recuerdas	recordaste	recordarás	recuerde/no recuerde	(Vd.)	recuerdes	recordaras/recordases
recuerda	recordó	recordará	recordad/no recordéis	(vos.)	recuerde	recordara/recordase
recordamos	recordamos	recordaremos	recuerden/no recuerden	(Vds.)	recordemos	recordáramos/recordásemos
recordáis	recordasteis	recordaréis			recordéis	recordarais/recordaseis
recuerdan	recordaron	recordarán			recuerden	recordaran/recordasen

► SABER

INDICATIVO			IMPERATIVO		SUBJUNTIVO	
Presente	Indefinido	Futuro			Presente	Pretérito imperfecto
sé	supe	sabré	sabe/no sepas	(tú)	sepa	supiera/supiese
sabes	supiste	sabrás	sepa/no sepa	(Vd.)	sepas	supieras/supieses
sabe	supo	sabrá	sabed/no sepáis	(vos.)	sepa	supiera/supiese
sabemos	supimos	sabremos	sepan/no sepan	(Vds.)	sepamos	supiéramos/supiésemos
sabéis	supisteis	sabréis			sepáis	supierais/supieseis
saben	supieron	sabrán			sepan	supieran/supiesen

SALIR

INDICATIVO			IMPERATIVO		SUBJUNTIVO	
Presente	Indefinido	Futuro			Presente	Pretérito imperfecto
salgo	salí	saldré	sal/no salgas	(tú)	salga	saliera/saliese
sales	saliste	saldrás	salga/no salga	(Vd.)	salgas	salieras/salieses
sale	salió	saldrá	salid/no salgáis	(vos.)	salga	saliera/saliese
salimos	salimos	saldremos	salgan/no salgan	(Vds.)	salgamos	saliéramos/saliésemos
salís	salisteis	saldréis			salgáis	salierais/salieseis
salen	salieron	saldrán			salgan	salieran/saliesen

SEGUIR

INDICATIVO			IMPERATIVO		SUBJUNTIVO	
Presente	Indefinido	Futuro			Presente	Pretérito imperfecto
sigo	seguí	seguiré	sigue/no sigas	(tú)	siga	siguiera/siguiese
sigues	seguiste	seguirás	siga/no siga	(Vd.)	sigas	siguieras/siguieses
sigue	siguió	seguirá	seguid/no sigáis	(vos.)	siga	siguiera/siguiese
seguimos	seguimos	seguiremos	sigan/no sigan	(Vds.)	sigamos	siguiéramos/siguiésemos
seguís	seguisteis	seguiréis			sigáis	siguierais/siguieseis
siguen	siguieron	seguirán			sigan	siguieran/siguiesen

SER

INDICATIVO			IMPERATIVO		SUBJUNTIVO	
Presente	Indefinido	Futuro			Presente	Pretérito imperfecto
soy	fui	seré	sé/no seas	(tú)	sea	fuera/fuese
eres	fuiste	serás	sea/no sea	(Vd.)	seas	fueras/fueses
es	fue	será	sed/no seáis	(vos.)	sea	fuera/fuese
somos	fuimos	seremos	sean/no sean	(Vds.)	seamos	fuéramos/fuésemos
sois	fuisteis	seréis			seáis	fuerais/fueseis
son	fueron	serán			sean	fueran/fuesen

SERVIR

INDICATIVO			IMPERATIVO	SUBJUNTIVO	
Presente	Indefinido	Futuro		Presente	Pretérito imperfecto
sirvo	serví	serviré	sirve/no sirvas (tú)	sirva	sirviera/sirviese
sirves	serviste	servirás	sirva/no sirva (Vd.)	sirvas	sirvieras/sirvieses
sirve	sirvió	servirá	servid/no sirváis (vos.)	sirva	sirviera/sirviese
servimos	servimos	serviremos	sirvan/no sirvan (Vds.)	sirvamos	sirviéramos/sirviésemos
servís	servisteis	serviréis		sirváis	sirvierais/sirvieseis
sirven	sirvieron	servirán		sirvan	sirvieran/sirviesen

TRADUCIR

INDICATIVO			IMPERATIVO	SUBJUNTIVO	
Presente	Indefinido	Futuro		Presente	Pretérito imperfecto
traduzco	traduje	traduciré	traduce/no traduzcas (tú)	traduzca	tradujera/tradujese
traduces	tradujiste	traducirás	traduzca/no traduzca (Vd.)	traduzcas	tradujeras/tradujeses
traduce	tradujo	traducirá	traducid/no traduzcáis (vos.)	traduzca	tradujera/tradujese
traducimos	tradujimos	traduciremos	traduzcan/no traduzcan (Vds.)	traduzcamos	tradujéramos/tradujésemos
traducís	tradujisteis	traduciréis		traduzcáis	tradujerais/tradujeseis
traducen	tradujeron	traducirán		traduzcan	tradujeran/tradujesen

VENIR

INDICATIVO			IMPERATIVO	SUBJUNTIVO	
Presente	Indefinido	Futuro		Presente	Pretérito imperfecto
vengo	vine	vendré	ven/no vengas (tú)	venga	viniera/viniese
vienes	viniste	vendrás	venga/no venga (Vd.)	vengas	vinieras/vinieses
viene	vino	vendrá	venid/no vengáis (vos.)	venga	viniera/viniese
venimos	vinimos	vendremos	vengan/no vengan (Vds.)	vengamos	viniéramos/viniésemos
venís	vinisteis	vendréis		vengáis	vinierais/vinieseis
vienen	vinieron	vendrán		vengan	vinieran/viniesen

VOLVER

INDICATIVO			IMPERATIVO		SUBJUNTIVO	
Presente	**Indefinido**	**Futuro**			**Presente**	**Pretérito imperfecto**
vuelvo	volví	volveré	vuelve/no vuelvas	(tú)	vuelva	volviera/volviese
vuelves	volviste	volverás	vuelva/no vuelva	(Vd.)	vuelvas	volvieras/volvieses
vuelve	volvió	volverá	volved/no volváis	(vos.)	vuelva	volviera/volviese
volvemos	volvimos	volveremos	vuelvan/no vuelvan	(Vds.)	volvamos	volviéramos/volviésemos
volvéis	volvisteis	volveréis			volváis	volvierais/volvieseis
vuelven	volvieron	volverán			vuelvan	volvieran/volviesen

Clave

Gramática

Unidad 1

Situaciones:

1. *Laura y Víctor estar paseando;* **2.** *Empezar a llover;* **3.** *Ver a un hombre que vender paraguas;* **4.** *Comprar uno. Laura y Víctor estaban paseando cuando empezó a llover. Vieron a un hombre que vendía paraguas y le compraron uno.*

A **1.** *fue;* **2.** *daba;* **3.** *estuve / pasé / íbamos;* **4.** *llegué / vi / era / entré;* **5.** *encontré / iba;* **6.** *quería / dijo / necesitaba / fuimos;* **7.** *había / opté;* **8.** *hubo;* **9.** *estaba / comieron;* **10.** *empezó / hizo - hacía;* **11.** *acudió / era / estaba.*

B **1.** *apareció / tenía;* **2.** *iba / vio / creyó / era / dio / explotó / causó;* **3.** *conocí / trabajábamos;* **4.** *fui / tiró / produjo;* **5.** *entró / comprendió / era;* **6.** *dijeron / fue / dio;* **7.** *sabíamos / teníamos;* **8.** *estaba / tuve;* **9.** *creían / sabíamos;* **10.** *vi / sacó - sacaba / tiró - tiraba;* **11.** *íbamos / había / cerraron;* **12.** *veníamos / se acercó / pidió.*

C **1.** *conoció;* **2.** *era;* **3.** *trabajaba;* **4.** *tomaba;* **5.** *se bajaba;* **6.** *veía;* **7.** *trabajaba;* **8.** *decidió;* **9.** *fue;* **10.** *había;* **11.** *se bajaba;* **12.** *compró;* **13.** *envió;* **14.** *llegó;* **15.** *ponía;* **16.** *llegó;* **17.** *saludó;* **18.** *se sentó;* **19.** *compraba - compró;* **20.** *enviaba - envió;* **21.** *decía - dijo;* **22.** *subió;* **23.** *pensó;* **24.** *estaba;* **25.** *esperó;* **26.** *llegó;* **27.** *Fue;* **28.** *preguntó;* **29.** *dijeron;* **30.** *trabajaba;* **31.** *podían;* **32.** *se dio;* **33.** *recibió;* **34.** *citaba;* **35.** *llevaba;* ***36.*** *era.*

Unidad 2

Situaciones:

1. *a;* **2.** *c;* **3.** *b.*

A **1.** *estábamos llegando / estropeó;* **2.** *Llamaron / salía - estaba saliendo;* **3.** *estuvisteis hablando;* **4.** *tenía / iba;* **5.** *declaró / oyó / estaba escuchando;* **6.** *llegaron / estábamos durmiendo;* **7.** *hizo / nos fuimos;* **8.** *estaban llamando / desconecté.*

Unidad 3

Situaciones:

1. *a;* **2.** *d;* **3.** *b;* **4.** *c.*

A **1.** *Ahora mismo;* **2.** *Últimamente;* **3.** *alguna vez;* **4.** *todavía;* **5.** *muchas veces;* **6.** *ya;* **7.** *Nunca;* **8.** *ya;* **9.** *Nunca;* **10.** *siempre;* **11.** *todavía;* **12.** *ya.*

B **1.** *tuve;* **2.** *rompí;* **3.** *han dormido;* **4.** *jugó;* **5.** *hemos salido;* **6.** *hemos enviado;* **7.** *he visto;* **8.** *han empezado;* **9.** *estuvo;* **10.** *Has visto;* **11.** *ha encontrado;* **12.** *llegaron / apagaron;* **13.** *fue;* **14.** *ha dado.*

C **1.** *hemos hecho;* **2.** *hemos encontrado;* **3.** *hemos comprado;* **4.** *ha dicho;* **5.** *hemos pintado;* **6.** *hemos dormido;* **7.** *es;* **8.** *está;* **9.** *es;* **10.** *estuvimos;* **11.** *cenamos;* **12.** *nos lo pasamos.*

Unidad 4

Situaciones:

1. *c;* **2.** *b;* **3.** *d;* **4.** *a.*

A **1.** *más que;* **2.** *mejor que;* **3.** *más / que;* **4.** *más / que;* **5.** *más / que;* **6.** *peores que;* **7.** *mejores / que;* **8.** *menor que;* **9.** *tanto / como;* **10.** *tantos / como;* **11.** *mejor;* **12.** *mejores / que;* **13.** *tanto como / tantas;* **14.** *más / que;* **15.** *mejor que;* **16.** *menor que;* **17.** *menos que;* **18.** *mejor que;* **19.** *más / que;* **20.** *mayores que.*

B **1.** *más;* **2.** *más;* **3.** *que;* **4.** *más;* **5.** *más;* **6.** *que;* **7.** *más;* **8.** *más;* **9.** *más;* **10.** *tanta;* **11.** *como;* **12.** *más;* **13.** *que;* **14.** *menos que;* **15.** *más;* **16.** *que.*

C **1.** *de;* **2.** *como;* **3.** *como;* **4.** *que;* **5.** *de;* **6.** *que;* **7.** *de;* **8.** *que;* **9.** *que;* **10.** *de;* **11.** *de;* **12.** *que;* **13.** *que;* **14.** *como;* **15.** *de.*

D **1.** *carísimo;* **2.** *simpatiquísimo;* **3.** *riquísimo;* **4.** *baratísimo;* **5.** *amabilísimo;* **6.** *grandísimo;* **7.** *dificilísimo;* **8.** *buenísimo;* **9.** *facilísimo;* **10.** *antiquísimo;* **11.** *poquísimo;* **12.** *viejísimo;* **13.** *cerquísima;* **14.** *vaguísimo;* **15.** *jovencísimo.*

E **1.** *dificilísimos;* **2.** *baratísimos;* **3.** *simpatiquísima;* **4.** *cansadísimo;* **5.** *vaguísima;* **6.** *facilísima;* **7.** *antiquísima;* **8.** *jovencísima;* **9.** *cerquísima;* **10.** *facilísimo.*

F **1.** *El libro de Elvira Lindo es el regalo más divertido;* **2.** *El DVD de Almodóvar es el regalo más barato;* **3.** *La bufanda es el regalo más práctico;* **4.** *Los pendientes son el regalo más bonito;* **5.** *El cuadro es el regalo más caro.*

G Respuesta semilibre. Posibles opciones. **1.** *¿Cuál es el insecto más pequeño?* **2.** *¿Cuál es el pez que nada más rápido?* **3.** *¿Cuál es el mamífero más alto?* **4.** *¿Cuál es el reptil más peligroso?* **5.** *¿Cuál es el pez más peligroso?*

Unidad 5

Situaciones:

1. *d;* **2.** *c;* **3.** *b;* **4.** *a.*

A **1.** *fue derrotado;* **2.** *fue encarcelado;* **3.** *eran envenenados;* **4.** *ser trasladado;* **5.** *ha sido reconstruída;* **6.** *fueron temidos;* **7.** *Han sido descubiertos;* **8.** *fue nombrado;* **9.** *ser dirigido.*

B **1.** *han subido;* **2.** *han robado;* **3.** *han dicho / suben;* **4.** *se dice;* **5.** *Se calcula;* **6.** *se aprieta;* **7.** *se encuentran;* **8.** *se hace;* **9.** *han nombrado;* **10.** *se cortan;* **11.** *han vendido;* **12.** *Se dice;* **13.** *se va;* **14.** *Se comenta / han admitido;* **15.** *se celebran.*

C **1.** *En España se conduce por la derecha;* **2.** *Se necesitan más medios para resolver los delitos;* **3.** *Este disco no se oye bien;* **4.** *Ahora se leen más periódicos que antes;* **5.** *Aquí no se puede fumar;* **6.** *Se han enviado tres aviones con ayuda para los refugiados;* **7.** *Hace 300 millones de años ya se hilaba seda.*

D **1.** *se seleccionan;* **2.** *se machacan;* **3.** *Se echan;* **4.** *se dejan;* **5.** *se pueden;* **6.** *se pueden;* **7.** *se sirven;* **8.** *se suelen.*

Unidad 6

Situaciones:

1. *d: A Juan le han despedido del trabajo porque siempre llegaba tarde;* **2.** *c: Antes de irse a Brasil se despidió de todos sus compañeros;* **3.** *b: A mis vecinos les divierten mucho las películas antiguas;* **4.** *a: En este parque los niños se divierten un montón.*

A **1.** *le;* **2.** *se;* **3.** *le;* **4.** *Les;* **5.** *se;* **6.** *se;* **7.** *se;* **8.** *se;* **9.** *se;* **10.** *Se;* **11.** *les;* **12.** *Le;* **13.** *se;* **14.** *se;* **15.** *se / le / se.*

B **1.** *le;* **2.** *se;* **3.** *se;* **4.** *les;* **5.** *le;* **6.** *le;* **7.** *les;* **8.** *se;* **9.** *te;* **10.** *te;* **11.** *me;* **12.** *me;* **13.** *les;* **14.** *se;* **15.** *les.*

C **1.** *Me siento defraudado en mi trabajo;* **2.** *Cuando termino mi jornada de trabajo me siento agotado;* **3.** *Cuando me levanto por la mañana y me enfrento a otro día de trabajo me siento agotado;* **4.** *Siento que me he hecho más insensible con la gente;* **5.** *Me preocupa que mi trabajo ocupe mi tiempo libre;* **6.** *Me siento muy enérgico en mi trabajo;* **7.** *Realmente no me importa lo que les ocurre a las personas que tengo que atender;* **8.** *Me cansa trabajar en contacto directo con la gente;* **10.** *Me siento al límite de mis posibilidades;* **11.** *Los clientes me culpan de algunos de sus problemas;* **12.** *Creo que a los demás no les importa mi estado de ánimo.*

Unidad 7

Situaciones:

A. ¡Qué pendientes tan bonitos! ¿Quién te los ha regalado? B. ¿Te gustan? Me los regaló Jorge para mi cumpleaños. / A. ¡Vaya móvil! ¿Cuándo te lo has comprado? B. ¿Te gusta? Me lo ha traído mi padre de Brasil.

A **1.** *Sí, ya se los he pedido;* **2.** *Sí, ya se lo he dado;* **3.** *Sí, ya se la he entregado;* **4.** *Sí, ya se la he recordado;* **5.** *Sí, ya se lo he enviado;* **6.** *Sí, ya se lo han concedido;* **7.** *Me lo ha dicho Carmen;* **8.** *Sí, ya lo tengo, me lo han dado hoy;* **9.** *Sí, ya lo conozco, me lo ha presentado Ramón;* **10.** *Sí, ya nos las han traído.*

B **1.** *Lucía le regaló una corbata;* **2.** *Los padres la llevaron al médico;* **3.** *El médico le aconsejó que se operara;* **4.** *Yo te presté la novela;* **5.** *Eduardo nos dijo que vendría pronto;* **6.** *Los invitados les arrojaron flores;* **7.** *El profesor nos preguntó si sabíamos álgebra;* **8.** *¿Os dieron cava en al fiesta?* **9.** *Su padre les prohibió beber alcohol;* **10.** *El chico le pidió disculpas.*

C **1.** *quitármela;* **2.** *saludarnos / ofrecernos;* **3.** *nos / nos;* **4.** *te / lo;* **5.** *os / la;* **6.** *le;* **7.** *la / le;* **8.** *la / la / le;* **9.** *lo;* **10.** *comprenderte / te;* **11.** *le;* **12.** *te / lo;* **13.** *les / se;* **14.** *los;* **15.** *los / los;* **16.** *le / la;* **17.** *les.*

D **1.** *Se le murió una hija;* **2.** *Se le acabó el trabajo;* **3.** *Se me perdió un pendiente;* **4.** *Se les estropeó la calefacción;* **5.** *Se me llenaron los ojos de lágrimas;* **6.** *Se nos rompió el ordenador;* **7.** *Se le olvidó el móvil en el coche;* **8.** *Se te olvidó pagar el recibo de agua.*

E **1.** *No se puede hablar contigo;* **2.** *¿Este regalo es para mí?;* **3.** *¿Sabes que Gloria se ha enamorado de ti?;* **4.** *Si quieres, voy contigo a casa de Aurora;* **5.** *Según tú, ¿quién va a ganar las elecciones esta vez?;* **6.** *No tienes que volver otra vez por mí, yo iré sola;* **7.** *Yo creo que incluso él puede aprender a conducir;* **8.** *Es un egoísta, sólo piensa en sí mismo;* **9.** *Al marcharse se llevó sus pertenencias consigo;* **10.** *Al volver en sí mismo no sabía donde se encontraba.*

F **1.** *le;* **2.** *yo;* **3.** *me;* **4.** *te;* **5.** *hacerlo;* **6.** *lo;* **7.** *me;* **8.** *lo;* **9.** *le;* **10.** *Él;* **11.** *nosotros;* **12.** *yo;* **13.** *pedirle;* **14.** *él;* **15.** *aceptarlo. / B.* **1.** *los;* **2.** *los;* **3.** *me;* **4.** *se;* **5.** *me;* **6.** *me;* **7.** *Me;* **8.** *me;* **9.** *lo;* **10.** *Yo;* **11.** *denunciarle;* **12.** *me;* **13.** *mí;* **14.** *él;* **15.** *Le;* **16.** *lo.*

Unidad 8

Situaciones:

1. *b: Mira ese de barba y bigote es el profesor de filosofía;* **2.** *c: Quiero un helado de fresa, por favor;* **3.** *a: Ahora todo el mundo tiene un móvil, hasta los niños.*

A **1.** *a;* **2.** *a;* **3.** *a;* **4.** *a;* **5.** *a;* **6.** *no es necesaria;* **7.** *a;* **8.** *no es necesaria / a;* **9.** *a;* **10.** *a;* **11.** *no es necesaria;* **12.** *no es necesaria / a;* **13.** *no es necesaria;* **14.** *no es necesaria / no es necesaria;* **15.** *A;* **16.** *a / a.*

B **1.** *de;* **2.** *Desde;* **3.** *de;* **4.** *desde;* **5.** *desde;* **6.** *desde;* **7.** *de;* **8.** *De;* **9.** *Desde; desde;* **10.** *desde;* **11.** *desde;* **12.** *desde;* **13.** *desde.*

C **1.** *hacia;* **2.** *hacia;* **3.** *hasta;* **4.** *hasta;* **5.** *hacia;* **6.** *hasta;* **7.** *hasta;* **8.** *hacia;* **9.** *hacia;* **10.** *hacia;* **11.** *hasta;* **12.** *hasta.*

D **1.** *de;* **2.** *de;* **3.** *de;* **4.** *a / del;* **5.** *desde;* **6.** *de / De / de / de / de;* **7.** *de / En;* **8.** *A / A;* **9.** *de / de;* **10.** *del / de / del / de;* **11.** *a / de / de / en;* **12.** *a / de / del;* **13.** *a;* **14.** *de;* **15.** *de / en;* **16.** *en / de;* **17.** *en / del / a.*

E **1.** *en broma;* **2.** *de mal en peor;* **3.** *a la plancha;* **4.** *al pie de la letra;* **5.** *en menos que canta un gallo;* **6.** *al pie de la letra;* **7.** *a las tantas;* **8.** *a favor;* **9.** *a cántaros;* **10.** *de vez en cuando.*

F **1.** *A;* **2.** *de;* **3.** *en;* **4.** *de;* **5.** *de;* **6.** *en;* **7.** *a;* **8.** *en;* **9.** *de;* **10.** *de;* **11.** *sobre;* **12.** *a;* **13.** *en;* **14.** *de;* **15.** *a;* **16.** *de;* **17.** *con;* **18.** *Del;* **19.** *al;* **20.** *de;* **21.** *de;* **22.** *de;* **23.** *a;* **24.** *en;* **25.** *de;* **26.** *En;* **27.** *del;* **28.** *de;* **29.** *sobre;* **30.** *de;* **31.** *a;* **32.** *de;* **33.** *De;* **34.** *a;* **35.** *en;* **36.** *de;* **37.** *por;* **38.** *de;* **39.** *con.*

Unidad 9

Situaciones:

1. *por;* **2.** *a, a;* **3.** *por;* **4.** *para, a, a.*

A **1.** *por;* **2.** *para;* **3.** *para;* **4.** *por;* **5.** *por;* **6.** *por;* **7.** *por;* **8.** *para;* **9.** *para;* **10.** *por;* **11.** *por;* **12.** *por;* **13.** *por;* **14.** *por;* **15.** *para;* **16.** *por;* **17.** *para;* **18.** *por;* **19.** *para;* **20.** *por;* **21.** *para;* **22.** *por.*

B **1.** *a / por;* **2.** *para;* **3.** *sin;* **4.** *sobre;* **5.** *sobre;* **6.** *según;* **7.** *Por / de;* **8.** *de;* **9.** *a / de / por;* **10.** *en;* **11.** *a;* **12.** *en;* **13.** *de / por;* **14.** *a;* **15.** *por / en.*

C **1.** *En / En;* **2.** *De / De;* **3.** *En;* **4.** *En;* **5.** *De;* **6.** *A;* **7.** *A;* **8.** *De;* **9.** *De;* **10.** *De;* **11.** *De;* **12.** *A.*

D **1.** *a;* **2.** *de;* **3.** *en;* **4.** *en;* **5.** *para;* **6.** *por;* **7.** *de;* **8.** *de;* **9.** *en;* **10.** *en;* **11.** *según;* **12.** *del;* **13.** *de;* **14.** *de;* **15.** *por;* **16.** *del;* **17.** *de;* **18.** *por;* **19.** *de;* **20.** *de.*

Unidad 10

Situaciones:

Semilibre. Posibles opciones. *Trabaja mucho, por eso gana mucho; Como trabaja poco, gana poco; Aunque trabaja mucho, gana poco; Trabaja mucho, sin embargo, gana poco.*

A **1.** *por eso;* **2.** *Aunque;* **3.** *Como;* **4.** *porque;* **5.** *por eso;* **6.** *aunque;* **7.** *Como;* **8.** *porque;* **9.** *por eso;* **10.** *Aunque;* **11.** *por eso;* **12.** *porque.*

B **1.** *por tanto;* **2.** *incluso;* **3.** *Sin embargo;* **4.** *por tanto;* **5.** *en cambio;* **6.** *sin embargo;* **7.** *en cambio o sin embargo;* **8.** *en cambio o sin embargo;* **9.** *por tanto;* **10.** *sin embargo;* **11.** *incluso;* **12.** *incluso;* **13.** *además;* **14.** *en cambio o sin embargo;* **15.** *además;* **16.** *por tanto;* **17.** *por tanto;* **18.** *además.*

C Semilibre. Posibles opciones. **1.** *Como no puede practicar ningún deporte, ha dejado la natación; Ha dejado la natación porque no puede practicar ningún deporte; No puede practicar ningún deporte, por eso ha dejado la natación;* **2.** *Como los fines de semana está cansada de estudiar, sale con sus amigos; Sale con sus amigos porque está cansada de estudiar los fines de semana; Los fines de semana está cansada de estudiar, por eso sale con sus amigos;* **3.** *El médico le ha prohibido comer grasas, sin embargo come pan con mantequilla; A pesar de que el médico le ha prohibido comer grasas, come pan con mantequilla;* **4.** *Me acuesto tarde, sin embargo me levanto temprano; Me levanto temprano aunque me acuesto tarde;* **5.** *Dice que no necesita a los demás, por eso vive solo; Vive solo porque dice que no necesita a los demás;* **6.** *Trabaja mucho, sin embargo gana poco; Aunque trabaja mucho, gana poco;* **7.** *Estaba enfermo. Sin embargo fue a trabajar; A pesar de que estaba enfermo, fue a trabajar;* **8.** *He llegado tarde porque hay mucho tráfico; Como hay mucho tráfico, he llegado tarde; Hay mucho tráfico, por eso he llegado tarde;* **9.** *Estudia mucho, sin embargo ha suspendido los exámenes; Ha suspendido los exámenes aunque estudia mucho;* **10.** *Este libro me gusta mucho, en cambio el otro no me gustó nada.*

D **1.** *porque;* **2.** *Aunque;* **3.** *por eso;* **4.** *Sin embargo;* **5.** *porque;* **6.** *Como;* **7.** *incluso.*
1. *Además;* **2.** *Como;* **3.** *porque;* **4.** *Por el contrario;* **5.** *A causa de;* **6.** *además;* **7.** *por eso.*

Unidad 11

Situaciones:

1. *profundamente;* **2.** *inmediatamente / ahora mismo;* **3.** *pronto;* **4.** *despacio.*

A **1.** *c);* **2.** *b);* **3.** *e);* **4.** *a);* **5.** *d);* **6.** *g);* **7.** *i);* **8.** *j);* **9.** *h);* **10.** *f).*

B **1.** *bien;* **2.** *encima;* **3.** *pronto;* **4.** *fuera;* **5.** *Todo;* **6.** *Antes / mucho / nada.*

C **1.** *constantemente;* **2.** *rápidamente;* **3.** *perfectamente;* **4.** *completamente;* **5.** *inmediatamente;* **6.** *libremente;* **7.** *últimamente / económicamente;* **8.** *normalmente.*

D **1.** *a mano;* **2.** *a tiempo / a medias / en serio;* **3.** *de memoria;* **4.** *de repente / nunca más;* **5.** *en confianza / en el acto / a la fuerza.*

E **1:** *a;* **2:** *e;* **3:** *c;* **4:** *b;* **5:** *d;* **6:** *f.*

Unidad 12

Situaciones:

Yo en su lugar me quedaría con el de perlas, es más elegante; Está empezando a llover, yo que tú cogería un paraguas; Yo que tú alquilaría la casa rural, es mucho más romántico.

A **1.** *querrías;* **2.** *podrían;* **3.** *comeríais;* **4.** *haríamos;* **5.** *saldría;* **6.** *valdré / valdrá;* **7.** *estarías;* **8.** *habré / habrá;* **9.** *vendríamos;* **10.** *pondrían;* **11.** *sería;* **12.** *iríais;* **13.** *pedirías;* **14.** *veríais;* **15.** *dirán;* **16.** *seguiría.*

B **Horizontal:** **1.** *querría;* **2.** *podríamos;* **3.** *harían;* **4.** *saldría;* **5.** *tendríais;* **6.** *Seríais;* **Vertical:** **1.** *vendría;* **2.** *pondrías;* **3.** *habrían;* **4.** *valdríais;* **5.** *dirías;* **6.** *iría.*

C **1.** *b);* **2.** *a);* **3.** *e);* **4.** *c);* **5.** *d).*

D **1.** *compraría / pediría;* **2.** *trabajar / tomarte / me apuntaría / iría / consultaría.*

E Semilibre. Posibles opciones. **1.** *Yo que tú me compraría un piso grande en las afueras;* **2.** *Yo que tú invitaría a tus amigos a tu casa;* **3.** *Yo le regalaría una bicicleta;* **4.** *Deberías organizarte mejor;* **5.** *Yo que tú iría a Londres, el inglés te servirá para estudiar medicina.*

Unidad 13

Situaciones:

1. *quiere;* **2.** *esté;* **3.** *dejaste.*

A **1.** *tengas;* **2.** *conoces;* **3.** *enamoras;* **4.** *deberías;* **5.** *saliste;* **6.** *bebiste;* **7.** *estreses;* **8.** *consigas.*

B **1.** *recibes;* **2.** *consigas;* **3.** *ofendiste;* **4.** *viene;* **5.** *deberías;* **6.** *duermes;* **7.** *deberías;* **8.** *se haya tratado (se trate);* **9.** *te sorprende;* **10.** *tengas.*

Unidad 14

Situaciones:

¿Te gustan mis botas nuevas? Son de piel. Me encantan, ¿son muy caras?; ¿Está tu hermano? No, no ha venido; ¿Es tu hermano? No, pero se parece mucho, ¿verdad?; ¿Está libre?; Por fin soy libre; ¡Está muy rico!; ¿No sabes que a Juan le tocó la lotería y ahora es muy rico?

A **1.** *es;* **2.** *está;* **3.** *es / es;* **4.** *está / es* o *está;* **5.** *es;* **6.** *Está / está;* **7.** *es / está;* **8.** *es / es;* **9.** *está;* **10.** *es;* **11.** *es / es / está;* **12.** *está;* **13.** *estés;* **14.** *está / están.*

B **1.** *está;* **2.** *es;* **3.** *eran;* **4.** *está;* **5.** *es;* **6.** *está;* **7.** *Es;* **8.** *están;* **9.** *está / está;* **10.** *están;* **11.** *es;* **12.** *está;* **13.** *es;* **14.** *estás / estoy;* **15.** *son / están;* **16.** *estáis;* **17.** *están;* **18.** *estoy;* **19.** *es / es / era / era;* **20.** *estoy;* **21.** *estaba;* **22.** *está;* **23.** *está;* **24.** *está;* **25.** *es / es;* **26.** *está;* **27.** *es.*

C **1.** *c), e), h);* **2.** *a), b), d), f), g), i).*

D **1.** *son de / son de;* **2.** *está / está de;* **3.** *es / Es / es de / es;* **4.** *Está / está de;* **5.** *es de;* **6.** *es de / es / está;* **7.** *están de;* **8.** *estoy de;* **9.** *es de;* **10.** *está de.*

E **1.** *está;* **2.** *es;* **3.** *era;* **4.** *ser;* **5.** *estaban;* **6.** *estuvieron;* **7.** *es.*

Unidad 15

Situaciones:

Ayer nos encontramos con Claudio y Pepita y nos contaron que se habían jubilado hace dos meses porque les había tocado la lotería; Sí, sí, comentaron que no sabían en qué gastar el dinero pero que este verano se iban de vacaciones al Caribe y que después a lo mejor se dedicaban a viajar durante unos años.

A 1. *Laura me contó que ella antes vivía en una casa muy grande y que nunca había tenido problemas económicos;* 2. *Su amiga le dijo que ella se casaba el día 5 de mayo pero que no había invitado a nadie, que sólo asistiría la familia;* 3. *Llamó tu jefe y preguntó si podrías venir a trabajar el sábado por la tarde;* 4. *El detenido declaró que él no estaba allí ese día, que había testigos que le vieron en la otra punta de la ciudad y que eso probaba que era inocente;* 5. *El médico le dijo que era un viaje largo para su edad, que podría tener un accidente, y que por qué no iba en avión y él le dijo que porque le daba miedo volar;* 6. *Su hijo le dijo que le diera dinero para ir al cine;* 7. *Su compañero le explicó que no fue ayer al hospital porque creía que ya estábamos en casa, pero que mañana iría a vernos sin falta.*

B 1. *ha declarado;* 2. *anunció;* 3. *afirmó;* 4. *explicó;* 5. *aseguran;* 6. *comentaron.*

Unidad 16

Situaciones:

1. *ser / ser;* 2. *se marcharan / acostarme;* 3. *mejore.*

A 1. *pusieron / pusieras, pusieses;* 2. *fueron / fuera, fuese;* 3. *pidieron / pidiéramos, pidiésemos;* 4. *volvieron / volvieran, volviesen;* 5. *comieron / comieras, comieses;* 6. *escribir / escribierais, escribieseis;* 7. *vivieron / viviera, viviese;* 8. *conseguir / consiguiera, consiguiese;* 9. *durmieron / durmiera, durmiese;* 10. *querer / quisiéramos, quisiésemos;* 11. *tuvieron / tuvieran, tuviesen;* 12. *ser / ir / fueras, fueses;* 13. *dijeron / dijerais, dijeseis;* 14. *estuvieron / estuvieran, estuviesen;* 15. *seguir / siguiera, siguiese.*

B 1. *Ojalá tuviera una casa muy grande; Me gustaría tener una casa muy grande;* 2. *Ojalá ganara una medalla; Me gustaría ganar una medalla;* 3. *Ojalá dejara de llover ahora mismo; Me gustaría que dejara de llover ahora mismo;* 4. *Ojalá fuera médico mi hijo; Me gustaría que fuera médico mi hijo.*

C 1. *b);* 2. *d);* 3. *e);* 4. *a);* 5. *c).*

D 1. *regalara / fueras / pasáramos / pudiera;* 2. *fuéramos / estar / estuviera;* 3. *conocer / presentaran;* 4. *fuera / hubiera / pudieran / hicieran / estudiaran / tomarme.*

Unidad 17

Situaciones:

Si vendiera el coche viejo me darían unos 3.000 euros y si fuera al banco y pidiera un préstamo, seguro que conseguiría el dinero que falta; Si tuviéramos 20 años menos, no nos cansaríamos tanto.

A 1. *d);* 2. *a);* 3. *f);* 4. *b);* 5. *g);* 6. *e);* 7. *c).*

B 1. *tuviera;* 2. *pidiera;* 3. *podría;* 4. *tuviera;* 5. *pediría;* 6. *tuviera;* 7. *cortaría;* 8. *tuviera;* 9. *gustaría;* 10. *tuviera;* 11. *tendría;* 12. *tuviera;* 13. *pasaría;* 14. *tuviera;* 15. *tendría;* 16. *tuviera;* 17. *tendría;* 18. *tuviera;* 19. *necesitaría.*

C 1. *encuentra / estuvieran;* 2. *pasaría / cambiaría / podríamos / encarecerían / tendríamos;* 3. *pudiera / hiciera / puedo;* 4. *tuviera / quieres;* 5. *harías / fueras / acabaría / subiría / hicieras / gobernarías;* 6. *comprarías / tuvieras / compraría / tuviera / iría / contrataría / pasearía;* 7. *iré / dices.*

D 1. *Si quieres que te acompañe, dímelo;* 3. *Si no aceptaras ese trabajo te arrepentirías siempre;* 4. *Si me llamara mi antiguo novio volvería con él;* 6. *Si el tren no llegara hoy con retraso podríamos ver el partido;*

7. *¿En qué país del mundo vivirías si pudieras elegir?*; **9.** *Te dejo el coche si me prometes que me lo devuelves pronto*; **12.** *Si te preocuparas más por las cosas no tendrías tantos problemas.*

E Libre. Posibles opciones. **1.** *Si me encontrara una cartera con 1.000 euros la llevaría a la comisaría más cercana*; **2.** *Si viera un OVNI llamaría a mis amigos para decírselo*; **3.** *Si me confundieran con un actor famoso les diría que están equivocados*; **4.** *Si estuviera en el extranjero y no tuviera dinero me pondría a trabajar*; **5.** *Si viera a mi mejor amigo robando un banco llamaría a la policía.*

Unidad 18

Situaciones:

1. *para saludar*; **2.** *para que te dejen*; **3.** *con el fin de que... tuvieran*; **4.** *con el objeto de apoyar.*

A **1.** *b)*; **2.** *e)*; **3.** *d)*; **4.** *a)*; **5.** *e).*

B **1.** *expresar / disolver / evitar*; **2.** *ponga / haya / informen*; **3.** *ver / se tranquilizara / acusara.*

C **1.** *Hay que llamar al médico para que nos dé los resultados de las pruebas*; **2.** *Deja la puerta cerrada para que no entre frío*; **3.** *María se calló para que Pedro no se enfadara con ella*; **4.** *Han llamado a un arquitecto con el fin de hacer los planos de la casa nueva.*

Unidad 19

Situaciones:

1. *lleve*; **2.** *haya*; **3.** *está / sea.*

A **1.** *pasear*; **2.** *disfrutar*; **3.** *hablar*; **4.** *salgan*; **5.** *tengas*; **6.** *sea*; **7.** *adaptarse.*

B **1.** *estupendo*; **2.** *comprensible*; **3.** *cierto / extraño*; **4.** *increíble / evidente*; **5.** *visto*; **6.** *claro*; **7.** *fantástico*; **8.** *fácil / inseguro.*

C **1.** *tengan*; **2.** *esté / haga*; **3.** *vengáis*; **4.** *conseguir*; **5.** *apruebe / estudie*; **6.** *habléis*; **7.** *esté*; **8.** *superar*; **9.** *tenga / digas*; **10.** *contesten*; **11.** *rellenar*; **12.** *insistáis.*

D Semilibre. Posibles opciones. **1.** *Es imprescindible que beban mucho líquido, unos dos litros diarios*; **2.** *Es conveniente / recomendable refrescarse con agua fría si sienten mucho calor*; **3.** *Es importante no salir a la calle en las horas de más calor*; **4.** *Es necesario ir al médico si sienten debilidad o mareos*; **5.** *Es importante no tomar el sol desde las 12 hasta las 16*; **6.** *Es necesario utilizar crema protectora solar y gafas de sol*; **7.** *Es recomendable hacer ejercicio moderado.*

Unidad 20

Situaciones:

1. *c*; **2.** *d*; **3.** *a*; **4.** *b.*

A **1.** *pasar*; **2.** *ver / pongan*; **3.** *hablen*; **4.** *hubiera*; **5.** *desapareciera*; **6.** *respete / controlen*; **7.** *ver.*

B **1.** *haga / tenga*; **2.** *trabaje*; **3.** *se metan*; **4.** *recordaran / trajeran*; **5.** *se sienten / usen*; **6.** *quedarme.*

Unidad 21

Situaciones:

1. *tenga;* **2.** *haga;* **3.** *tenga;* **4.** *pueda;* **5.** tengan.

A **1.** *La película que queremos ver empieza a las 8.10;* **2.** *El constructor que estoy buscando vive en esta calle;* **3.** *La máquina cortacésped que tengo funciona con electricidad;* **4.** *El amigo que vino a buscarme al aeropuerto me ayudó a traer las maletas;* **5.** *La paella que comimos ayer en casa de Ángel estaba muy buena;* **6.** *El fontanero que conozco arregla todo tipo de averías.*

B Semilibre. Posibles opciones. **1.** *¿Conoces a alguien que baile flamenco?; ¿Conoces a alguien que sepa cocinar bien?; ¿Conoces a alguien que juegue al fútbol bien?;* **2.** *No conozco a nadie que viva en La Habana; No conozco a nadie que trabaje en el circo;* **3.** *Me gusta la gente que no habla mucho; Me gusta la gente que es ecologista;* **4.** *En mi clase no hay nadie que sea orgulloso; En mi clase no hay nadie que toque la guitarra; En mi clase no hay nadie que sea tímido;* **5.** *No hay mucha gente que no hable nada; No hay mucha gente que tenga muchos hijos;* **6.** *Me molesta la gente que habla muy alto; Me molesta la gente que va a la disco.*

C **1.** *odie;* **2.** *sea;* **3.** *sea;* **4.** *se siente;* **5.** *odie;* **6.** *sean;* **7.** *vivan;* **8.** *guste;* **9.** *fume;* **10.** *esté;* **11.** *gusta;* **12.** *fume;* **13.** *gusten;* **14.** *viva.*

Unidad 22

Situaciones:

De ti me gusta todo: la ropa que llevas, la casa en la que vives, el día en el que nos conocimos, los ojos con que me miras, la oficina en la que trabajas, vamos, todo.

A **1.** *con la que;* **2.** *de las que;* **3.** *en la que;* **4.** *de la que;* **5.** *en quién;* **6.** *en la que;* **7.** *en la que;* **8.** *debajo del cual;* **9.** *con la que;* **10.** *en la que;* **11.** *al que;* **12.** *al que;* **13.** *a la que.*

B **1.** *El dentista al que yo voy no es muy caro;* **2.** *La fábrica en la que Rubén trabajaba la han cerrado;* **3.** *El pueblo del que Violeta viene no tiene médico;* **4.** *El hombre con quien la profesora está hablando es el director;* **5.** *El chico con quien ayer nos encontramos es el hijo de mi ex marido;* **6.** *Yo no conozco la razón por la que él se fue de su casa.*

C **1.** *con el que;* **2.** *con quien / con el que;* **3.** *en la que;* **4.** *en la que;* **5.** *en la que;* **6.** *al que;* **7.** *por la que;* **8.** *a quien / a la que;* **9.** *con quien / con el que;* **10.** *de la que;* **11.** *con quien / con el que;* **12.** *en el que;* **13.** *a quien / al que;* **14.** *en la que;* **15.** *a quien / al que;* **16.** *a quien / al que.*

D **1.** *¿Es este el coche en el que huyó después del robo?;* **2.** *¿Son estas las bolsas en las que guardó el botín?;* **3.** *¿Es usted la mujer a quien/ a la que usted vendió las joyas?;* **4.** *¿Esta es la pistola con la que disparó el aire?;* **5.** *¿No es esta la casa en la que durmió la noche anterior del robo?;* **6.** *¿Es esta la ropa que llevaba usted en el momento del robo?;* **7.** *¿Es este el hombre que conducía el coche?;* **8.** *¿Es este el túnel por el que entraron a la joyería?*

E **1.** *Los vecinos que viven en el quinto hacen mucho ruido;* **3.** *El libro que he leído me ha gustado mucho;* **4.** *El hombre con quien se casó Alicia no era médico, como decía;* **5.** *¿Conoces a la mujer con quien está hablando Ángel?;* **6.** *Necesitamos a alguien con quien compartir piso;* **8.** *Ramón, con quien estudié en la Universidad, falleció ayer;* **11.** *El vendedor que me atendió era amable;* **12.** *La casa en la que vivíamos el* *año pasado era más pequeña;* **13.** *¿Conoces al actor que sale en esta película?;* **14.** *¿Te acuerdas del hotel al que fuimos el año pasado?*

Unidad 23

Situaciones:

1. *b: Cuando me jubile pintaré;* **2.** *a: Cuando sea mayor será futbolista;* **3.** *c: Cuando termine los exámenes me iré a la playa;* **4.** *d: Cuando salga de aquí cogeré otra vez la moto;* **5.** *e: Cuando tengamos bastante dinero nos casaremos.*

A **1.** *vengas;* **2.** *sea;* **3.** *estuve;* **4.** *vendrás;* **5.** *teníamos;* **6.** *tenga;* **7.** *llegue;* **8.** *llegará;* **9.** *llegó;* **10.** *vas a ir;* **11.** *vayas;* **12.** *levantó;* **13.** *equivoca;* **14.** *tenemos.*

B *Cuando tu hijo te busque con su mirada, míralo; Cuando tu hijo te tienda sus brazos, abrázalo; Cuando tu hijo te quiera hablar, escúchalo; Cuando tu hijo se sienta solo, acompáñalo; Cuando tu hijo te pida que lo dejes, déjalo; Cuando tu hijo se sienta triste, consuélalo; Cuando tu hijo te pida jugar con él, juega con él; Cuando tu hijo te pida volver, acógelo; Cuando tu hijo pierda la esperanza, anímalo.*

Unidad 24

Situaciones:

1. *a: En cuanto;* **2.** *c: Mientras;* **3.** *b: hasta que;* **4.** *d: después de que.*

A **1.** *A. ¿Cuándo vas a hacer la comida? B. En cuanto / Cuando vuelva de la compra;* **2.** *A. ¿Cuándo vas a comprar las entradas? B. En cuanto / Cuando tenga tiempo;* **3.** *A. ¿Cuándo vas a llamar a tus padres? B. Después de que salga del trabajo;* **4.** *A. ¿Cuándo vas a comprar otro ordenador? B. Tan pronto como cobre el sueldo;* **5.** *A. ¿Cuándo vas a pintar la casa? B. Después de que me den las vacaciones;* **6.** *A. ¿Cuándo vas a cambiar de piso? B. En cuanto / cuando encuentre otro mejor;* **7.** *A. ¿Cuándo vas a acostarte? B. Después de que termine la película de la tele.*

B **1.** *tan pronto como;* **2.** *antes de;* **3.** *Después de que;* **4.** *mientras;* **5.** *mientras / cuando;* **6.** *después de;* **7.** *En cuanto;* **8.** *después de que;* **9.** *En cuanto;* **10.** *Mientras / Cuando;* **11.** *antes de;* **12.** *hasta que.*

C **1.** *Nosotros comeremos / vamos a comer antes de que vengan ellos; Ayer comimos antes de que vinieran ellos;* **2.** *Yo saldré / voy a salir después de que llegue Roberto; Ayer salí después de que llegara Roberto;* **3.** *Nosotros terminaremos / vamos a terminar el trabajo antes de que vuelva la jefa; Terminamos el trabajo antes de que volviera la jefa;* **4.** *Llamaré / voy a llamar a mi madre antes de que se vaya a la compra; Llamé a mi madre antes de que se fuera a la compra;* **5.** *Veremos / Vamos a ver esta película antes de que la quiten de la cartelera; Vimos esta película antes de que la quitaran de la cartelera;* **6.** *Daré / Voy a dar el regalo a Luis antes de que se vaya de viaje; Di el regalo a Luis antes de que se fuera de viaje.*

D *No vengas a mi casa antes de que yo te llame; Tienes que estudiar más antes de hacer los exámenes; Se fue antes de que yo le contara nada; Recibió tres citaciones del juez antes de ir al juicio; Ve a comprar las entradas antes de que se agoten; Vamos a comprarnos un piso antes de que suban más los precios; Llama por teléfono antes de ir a recoger el coche al taller.*

E **1.** *se jubilaron;* **2.** *nos jubilemos;* **3.** *encontró;* **4.** *termine;* **5.** *accedió;* **6.** *termines / encuentres;* **7.** *dure;* **8.** *salir;* **9.** *convives;* **10.** *deje;* **11.** *llamaste;* **12.** *volverá;* **13.** *lleguen;* **14.** *salir.*

F **1.** *cambie;* **2.** *veas;* **3.** *toque;* **4.** *necesite;* **5.** *agote.*

Unidad 25

Situaciones:

Que te sientes y hagas los ejercicios.

A **1.** *no olvides / tienes que estar / recojas;* **2.** *lo acabe / se lo deje.*

B Semilibre. Posibles opciones. **1.** *Su amiga le aconsejó que se comprara un vestido bonito y fuera a la peluquería;* **2.** *Su padre le ordenó que no volviera a llegar a casa después de las 10;* **3.** *Su amigo le pidió que le dejara el coche este fin de semana;* **4.** *La profesora aconsejó que estudiara todos los días un poco y que no faltara a clase;* **5.** *Su madre le ordenó que no jugara con el perro porque podía morderle;* **6.** *Su hijo le pidió que le diera dinero para ir al cine;* **7.** *La policía le prohibió conducir mientras hablara por el móvil;* **8.** *Javier le aconsejó que fuera a ver Habana Blues porque era una película estupenda.*

C **1.** *habéis traído / compraría;* **2.** *hicieran;* **3.** *aparcaran/aparcasen;* **4.** *condujera / pusiera;* **5.** *pusiéramos / fuéramos;* **6.** *dejara;* **7.** *invirtiera.*

D **1.** *En la entrevista de trabajo me preguntó que cuantos años de experiencia tenía, yo le dije que llevaba 10 años trabajando en una empresa similar a esta y le di mi curriculum. Entonces él me dijo que volviera mañana, que me harían una prueba práctica;* **2.** *Ella estaba viendo una película y entonces él le pidió que cambiara de canal porque iba a empezar el fútbol. Ella le dijo que no le apetecía nada y él se quejó porque hacía tiempo que sabía que hoy era la final de la Copa. Pero ella insistió en que no pensaba cambiar de canal y le sugirió que llamara a Juan y se fuera a su casa a verlo porque seguro que a su mujer no le importaba.*

E **1.** *preste / devuelve;* **2.** *puede / quiere / suba.*

Unidad 26

Situaciones:

1. *hayan despedido;* **2.** *haya tocado;* **3.** *hayan acabado.*

A **Horizontal: 1.** *hayan visto;* **2.** *hayáis puesto;* **3.** *haya leído;* **4.** *hayan dicho;* **5.** *hayas traído;* **6.** *hayan sido;* **7.** *haya vivido;* **Vertical: 1.** *hayamos estado;* **2.** *haya hecho;* **3.** *haya ido;* **4.** *hayáis roto.*

B **1.** *Es estupendo que hayas aprobado el carnet de conducir a la primera;* **2.** *Me extraña que el doctor Martínez no haya venido hoy;* **3.** *Qué raro que este año Rafa y Mayte no hayan ido de vacaciones;* **4.** *Qué pena que María se haya marchado ya;* **5.** *Qué pena que no haya aprobado las matemáticas;* **6.** *Me molesta que Juan no te haya esperado y se haya ido solo;* **7.** *Qué bien que haya estado en México una semana.*

C **1.** *hayas dicho;* **2.** *haya llevado;* **3.** *haya roto / haya pedido / haya sido;* **4.** *se hayan separado / hayas enterado;* **5.** *haya venido;* **6.** *haya dejado.*

D **1.** *esté / haya salido;* **2.** *hayan cerrado;* **3.** *hayas tenido;* **4.** *hayas venido;* **5.** *haya aprendido;* **6.** *publique;* **7.** *sepa.*

E **1.** *d;* **2.** *e;* **3.** *a;* **4.** *b;* **5.** *c;* **6.** *g;* **7.** *f.*

Unidad 27

Situaciones:

1. *Calculamos que en la manifestación de ayer había unas 100.000 personas;* **2.** *Lo importante es que la operación ha salido muy bien;* **3.** *Está prohibido llevar Ø armas sin tener licencia;* **4.** *Ven lo antes posible, por favor.*

A **1.** *Ø / una / unos / Ø;* **2.** *al / Ø / un;* **3.** *un;* **4.** *Ø / una;* **5.** *Ø / Ø;* **6.** *Ø / el / la / la;* **7.** *al / una;* **8.** *Ø;* **9.** *unos / del / unas;* **10.** *la / los;* **11.** *al;* **12.** *la / al;* **13.** *la / la / los / una;* **14.** *mi.*

B **1.** *c);* **2.** *a);* **3.** *d);* **4.** *b);* **5.** *f);* **6.** *e).*

C **1.** *El;* **2.** *un;* **3.** *un;* **4.** *Un;* **5.** *Ø;* **6.** *unas;* **7.** *los;* **8.** *Ø;* **9.** *los;* **10.** *del;* **11.** *el;* **12.** *del;* **13.** *una;* **14.** *Ø;* **15.** *Ø;* **16.** *Ø;* **17.** *Ø;* **18.** *un;* **19.** *las;* **20.** *La;* **21.** *un;* **22.** *la;* **23.** *del;* **24.** *una;* **25.** *un;* **26.** *la;* **27.** *la;* **28.** *las;* **29.** *un;* **30.** *un.*

D **1.** *f; Reloj de pared;* **2.** *c; Escribir con bolígrafo;* **3.** *g; Piano de cola;* **4.** *b; Café sin azúcar;* **5.** *i; Bicicleta de carreras;* **6.** *j; Traducir con diccionario;* **7.** *l; Equipaje de mano;* **8.** *d; Comidas sin sal;* **9.** *e; Cosas de niños;* **10.** *k; Tren de mercancías;* **11.** *a; Trabajar sin descanso;* **12.** *h; Blusa con mangas.*

E **1.** *Todos los hombres son iguales;* **2.** *Dame todo el dinero que tengas;* **3.** *Los otros no eran chicos del barrio;* **4.** *Las pocas personas que había en el cine, se marcharon;* **5.** *Los tres primeros atletas recibieron las medallas;* **6.** *Unas doscientas personas se encerraron en otras iglesias cercanas.*

F **1.** *Lo importante es tener salud;* **2.** *Lo mejor es tener muchos amigos;* **3.** *Lo lógico es que vuelva a llamarte;* **4.** *Lo normal es que haga calor en estas fechas;* **5.** *Lo raro es que aún no te haya llegado;* **6.** *Lo extraño es que se compre una casa tan cara.*

G **1.** *el / lo / al;* **2.** *lo / los / la / los;* **3.** *lo / lo;* **4.** *el / la / lo / la / lo.*

Unidad 28

Situaciones:

1. *a;* **2.** *b;* **3.** *c.*

A **1.** *Lleva dos horas y media durmiendo la siesta;* **2.** *Lleva media hora duchándose;* **3.** *Los vecinos llevan hora y media discutiendo;* **4.** *Su hijo lleva 6 años estudiando Derecho;* **5.** *Katy lleva 19 años trabajando en la academia;* **6.** *Mis compañeros llevan viviendo en Valencia... años y todavía viven aquí.*

B **1.** *acabo de encontrármela;* **2.** *sigue viviendo;* **3.** *dejó de estudiar;* **4.** *llevaba estudiando;* **5.** *vuelve a matricularse;* **6.** *¿Sigues viéndolas?;* **7.** *volver a verlas;* **8.** *sigue trabajando;* **9.** *Acabas de comprarlo;* **10.** *vuelve a llamar.*

Unidad 29

Situaciones:

1. *d;* **2.** *c;* **3.** *b;* **4.** *a.*

A **1.** *f);* **2.** *g);* **3.** *b);* **4.** *c);* **5.** *a);* **6.** *h);* **7.** *d);* **8.** *e).*

B **2.** *Aunque vivo en el quinto piso, subo andando; Aunque viva en el quinto piso, voy a subir andando; Aunque viviera en el quinto piso, subiría andando;* **3.** *Aunque no tengo dinero, iré de vacaciones; Aunque no tenga dinero, iré de vacaciones; Aunque no tuviera dinero, iría de vacaciones;* **4.** *Aunque estudio mucho, no apruebo el curso; Aunque estudie mucho, no voy a aprobar el curso; Aunque estudiara mucho, no aprobaría el curso;* **5.** *Aunque corro mucho, no llego a tiempo; Aunque corra mucho, no voy a llegar a tiempo; Aunque corriese mucho, no llegaría a tiempo;* **6.** *Aunque trabajo muchas horas, gano poco; Aunque trabaje muchas horas, voy a ganar poco; Aunque trabajase muchas horas, ganaría poco;* **7.** *Aunque le gusta la música, no va a los conciertos; Aunque le guste la música, no va a ir a los conciertos; Aunque le gustase la música, no iría a los conciertos.*

C **1.** *Aunque sea violenta voy a verla, me han dicho que es muy buena;* **2.** *Aunque el pan engorde un poco, tienes que comer de todo;* **3.** *Yo siempre compro el periódico, aunque no traiga nada interesante;* **4.** *Bueno, es que aunque esté perdida la Liga, es mi equipo favorito;* **5.** *Yo creo que aunque esté enfadada, irá;* **6.** *Ya, pero tu madre espera que vayamos, aunque tú no tengas ganas;* **7.** *Aunque haya menos gente, yo prefiero ir a las seis o las siete.*

D **1.** *ha estado;* **2.** *esté;* **3.** *digan;* **4.** *sea;* **5.** *esté;* **6.** *estudie;* **7.** *tenga;* **8.** *vaya;* **9.** *sean;* **10.** *hiciera;* **11.** *sean.*

E **2.** *Como estábamos cansados, no fuimos a la fiesta;* **3.** *Aunque estaba enfadada con Paula, la llamó para su cumpleaños;* **4.** *Como el coche viejo no tenía aire acondicionado, se compró otro;* **5.** *Abre la ventana para que entre el aire fresco;* **6.** *Llama a Luisa para que venga a comer a casa;* **7.** *No pude comprarme los zapatos porque no tenía dinero;* **8.** *Julia se marcho antes porque tenía que ir a clase de flauta.*

Unidad 30

A **1.** *Gra-cias;* **2.** *Far-ma-cia;* **3.** *Ai-re;* **4.** *Re-li-gión;* **5.** *Bue-no;* **6.** *Cau-sa;* **7.** *Cui-da-do;* **8.** *In-te-rro-ga-ción;* **9.** *Vuel-van;* **10.** *Tam-bién;* **11.** *Re-cuer-do;* **12.** *In-tui-ción;* **13.** *O-í-do;* **14.** *Miér-co-les;* **15.** *I-gual-dad;* **16.** *Re-vo-lu-ción;* **17.** *Se-cre-ta-ria;* **18.** *Pa-ís;* **19.** *Rí-o;* **20.** *Diez.*

B **1.** *A. ¿Quién ha abierto la puerta? ¿Has sido tú, Álvaro? B. No, ha sido tu hijo, dijo que tenía que salir corriendo y seguro que se le olvidó cerrar;* **2.** *Anoche la abuela se tomó un té y se acostó enseguida, porque estaba muy cansada;* **3.** *A. Voy a salir a comprar, ¿qué quieres que traiga? B. El pan y el periódico, el resto ya lo compré yo ayer;* **4.** *Écheme un poco de azúcar, por favor;* **5.** *A. Tengo que ir a casa de Javier pero no se dónde vive, ¿tú has ido alguna vez? B. Sí, vive en las afueras, en una urbanización. Si quieres yo te acompaño;* **6.** *¡Qué calor hace! En esta ciudad siempre pasa lo mismo, en verano te mueres de calor y en invierno de frío;* **7.** *A. ¿Había agua en el frigorífico cuando tú llegaste? B. Sí, ya te lo dije antes. Después llegó Carlos y fue él el que se llevó la botella a su habitación;* **8.** *A. ¿De qué conoces a esa chica? B. De casi nada, mi hermano la conoció en una fiesta y luego me la presentó a mí;* **9.** *A. ¿Cuándo le vas a dar la noticia a tu padre? B. Déjame que se la dé poco a poco, no quiero que se enfade. A. Pues si no se lo dices tú hoy mismo, se lo diré yo;* **10.** *Cállate, no hagas tanto ruido, que los niños están durmiendo;* **11.** *Ya verás como Raúl vendrá y lo arreglará todo;* **12.** *Me molestó que José no viniera a la reunión de médicos.*

C **1.** *De un día para otro se echó encima el calor. No sé si contribuiría eso a aumentar mi impaciencia. Volvía a casa a primera hora de la tarde y antes de entrar al baño, beber agua o ponerle comida al gato, me iba derecha al contestador. Nada. No había mensaje ninguno del hombre alto. Escuchaba los otros, generalmente de Tomás o recados para él, con la esperanza de oír aquella voz que la memoria no conseguía reproducir pero que mi tendencia a la metáfora asociaba a un color azul metálico.*

2. *Elena estaba depilándose las piernas en el cuarto de baño cuando sonó el teléfono y le comunicaron que su madre acababa de morir. Miró el reloj instintivamente y procuró retener la hora en la cabeza: las seis y media de la tarde. Aunque los días habían comenzado a alargar, era casi de noche por efecto de unas nubes que desde el mediodía se habían ido colocando en forma de techo sobre la ciudad. La mejor hora de la tarde para irse de este mundo, pensó cogida al teléfono mientras escuchaba a su marido que, desde el otro lado de la línea, intentaba resultar eficaz y cariñoso al mismo tiempo.*
– Yo paso a recogerte –dijo– y vamos justos al hospital. Tu hermano ya está allí.
– ¿Y mi hermana? –preguntó–. ¿Quién avisa a mi hermana?
– Acabo de hablar con su marido y vendrán esta misma noche en un avión que sale a las diez de Barcelona. No te preocupes de las cuestiones prácticas. Arréglate y espera a que yo vaya por ahí.

3. *La ciudad de Nueva York siempre aparece muy confusa en los atlas geográficos y al llegar se forma uno un poco de lío. Está compuesta por diversos distritos, señalados en el mapa callejero con colores diferentes, pero el más conocido de todos es Manhattan, el que impone su ley a los demás y los empequeñece y los deslumbra. Le suele corresponder el color amarillo. Sale en las guías turísticas y en el cine y en las novelas. Mucha gente se cree que Manhattan es Nueva York, cuando simplemente forma parte de Nueva York. Una parte especial, eso sí.*
Se trata de una isla en forma de jamón con un pastel de espinacas en el centro que se llama Central Park. Es un gran parque alargado por donde resulta excitante caminar de noche, escondiéndose de vez en cuando detrás de los árboles por miedo a los ladrones y asesinos que andan por todas partes y sacando un poquito la cabeza para ver brillar las luces de los anuncios y de los rascacielos que flanquean el pastel de espinacas, como un ejército de velas encendidas para celebrar el cumpleaños de un rey milenario.

Unidad 31

A **1.** *do-min-go;* **2.** *sep-tiem-bre;* **3.** *trans-for-mar;* **4.** *In-gla-te-rra;* **5.** *Ar-gen-ti-na;* **6.** *is-lá-mi-co;* **7.** *At-lán-ti-co;* **8.** *o-to-ño;* **9.** *trans-pa-ren-te.*

B **1.** *Cuando era más joven, me levantaba temprano, comía algo ligero y salía al parque a hacer un poco de ejercicio. Ahora, mis hábitos han cambiado: me levanto bastante más tarde, desayuno tranquilamente en casa, después bajo a comprar el periódico, me doy una vuelta por el barrio y vuelvo a casa cuando es casi la una, con el tiempo justo para hacerme comida.*

2. *Raquel y los niños se fueron a la piscina. Hacía uno de esos días soleados del mes de junio. La hija pequeña de Marita estaba impaciente porque era su primer día de baño, sin embargo el hijo mayor, Juan Carlos, había ido sin ganas porque prefería ver un partido de fútbol que ponían a esa hora en la tele.*
El señor de la taquilla, al que conocían desde hacía muchos años, les sonrió como siempre, y le preguntó a Raquel por su marido, por su madre y por una de sus mejores amigas, Amelia, que solía acompañarla cuando iba a la piscina. Mientras la madre hablaba con Roberto, el taquillero, Marita se soltó de la mano de su hermano y salió corriendo en dirección a la piscina. Juan Carlos la siguió con la mirada, pensando que se detendría en cualquier momento, pero la niña no se paró, y el hermano, al darse cuenta de que se iba a caer, salió corriendo y la agarró justo cuando uno de sus pies estaba probando la temperatura del agua.

C **1.** *Aunque me lo pida mil veces, no voy a volver con él;* **2.** *Como no me contó nada de lo que había ocurrido, tuve que preguntárselo a su hermana;* **3.** *A. Oye, Juan, ¿vas a venir con nosotros a la playa el próximo sábado? B. No, quiero descansar, necesito pasar un fin de semana tranquilo en casa;* **4.** *A. ¿Quieres que le diga a Jaime que te acompañe mañana? B. No quiero ir con él, prefiero ir solo;* **5.** *A. ¿Oyes ese ruido? B. ¿Qué* *ruido? Yo no oigo nada;* **6.** *A. Oye, ¿cómo se llama tu perro? B. Trapo, ¿y el tuyo?;* **7.** *Los estudiantes de mi grupo, que son muy listos, sacan buenas notas;* **8.** *Los concursantes que llegaron tarde no podrán presentarse a las pruebas, sólo admitiremos a los que llegaron a tiempo;* **9.** *Tus amigos que llegaron tarde, como siempre, no consiguieron las entradas;* **10.** *Así no vas a aprobar nunca, es imposible;* **11.** *A. Mamá, no sé cómo pintar este dibujo, ¿me ayudas? B. Hazlo así, con cuidado. Muy bien;* **12.** *El Presidente del Gobierno, que había sido elegido apenas un mes antes, acudió al entierro del papa Juan Pablo II;* **13.** *Todavía recuerdo lo que me decía la abuela siempre que discutíamos: "llevaos bien porque sólo os tenéis la una a la otra";* **14.** *He viajado por muchos países: Italia, Grecia, Turquía, Argelia, Egipto..., y en todos me he sentido siempre como en casa;* **15.** *A. ¿Qué estás leyendo? B. Una novela de García Márquez: "El coronel no tiene quién le escriba";* **16.** *A. ¿Estás leyendo? B. Pues sí, me encanta leer, ¿a ti no?*

D **1.** *Querida Yolanda:*

Te escribo porque no tengo otra forma de localizarte. Ayer te llamé varias veces, pero no estabas en casa, y hoy lo he intentado también y nada. Así que te mando este correo porque seguro que, aunque estés ya en la playa, podrás entrar en Internet y leerlo. Lo que quería decirte es que ayer, como era sábado y no tenía que trabajar, fui al Centro Comercial a hacer unas compras, y ¿sabes lo que me pasó? Me robaron la cartera y se lo llevaron todo: los carnés, el dinero, las tarjetas de crédito. Me quitaron hasta las fotos de Carlitos cuando era pequeño.

Todo esto complica mucho mi viaje a la playa, porque imagínate: ahora tengo que volver a hacerme los carnés y eso tardará unos cuantos días. Así que no creo que pueda estar el fin de semana con vosotros.

De verdad que lo siento mucho.

Da recuerdos a tu marido y dile a Elena que llamaré pronto.

Besos para todos.

Unidad 32

A **1.** *salga;* **2.** *estuviera;* **3.** *examinara;* **4.** *vinierais;* **5.** *salgamos;* **6.** *hables;* **7.** *llamaran;* **8.** *consultasen;* **9.** *fuera;* **10.** *regalara;* **11.** *devuelvas;* **12.** *tuviera.*

B **1.** *vinierais;* **2.** *esté;* **3.** *tuviera;* **4.** *tomes;* **5.** *avisaran;* **6.** *entre;* **7.** *entrara;* **8.** *expliques;* **9.** *se acuerde;* **10.** *volviera;* **11.** *proponga;* **12.** *estudiara;* **13.** *quiera;* **14.** *fueran.*

Unidad 33

A **1.** *se olvidó;* **2.** *superaba;* **3.** *portaba;* **4.** *se identificó;* **5.** *ofreció;* **6.** *relato;* **7.** *cogió;* **8.** *Explicó;* **9.** *decidió;* **10.** *llovía;* **11.** *señaló;* **12.** *llevaba;* **13.** *buscó;* **14.** *debió;* **15.** *quedó;* **16.** *abandonó;* **17.** *se dio;* **18.** *pudo.*

B **1.** *falleció;* **2.** *Estaba;* **3.** *era;* **4.** *Nació;* **5.** *interrumpió;* **6.** *trabajó;* **7.** *participaba;* **8.** *llegó;* **9.** *llamó;* **10.** *formara;* **11.** *se trasladó;* **12.** *llegó.*

C **1.** *A. ¿Qué tal va el nuevo alumno? B. Muy bien, es un chico muy inquieto, se interesa por todo;* **2.** *Ana, ¿sabes dónde está mi libro de inglés?, no lo encuentro en ningún sitio;* **3.** *A María no le importa nada la opinión de los demás;* **4.** *A algunos estudiantes no les interesa nada de lo que están estudiando, es una pena;* **5.** *¿A quién se parece el bebé de Marta?;* **6.** *Anoche comí pescado y creo que no me sentó bien;* **7.** *No te quejes del trabajo, piensa que hay otra gente que no tiene ninguno;* **8.** *No le digas a Antonio que estoy enfadada con él;* **9.** *¿Por qué te quedaste en casa ayer?;* **10.** *¿Cómo te disfrazaste el día de*

Carnaval?; **11.** *Dile a Eduardo que le llamaré por teléfono esta noche;* **12.** *Desde que murió su marido, Elena se siente bastante sola;* **13.** *Mayte, dale recuerdos a tu marido de mi parte;* **14.** *Cuando Pilar me contó lo que le había pasado me sentí fatal;* **15.** *No fui a la boda de Pepa porque no me invitó;* **16.** *¿Les dijiste a Rosa y a Paco que no podíamos ir a cenar?;* **17.** *¿Le has preguntado al médico cuánto tiempo tienes que hacer reposo?;* **18.** *A. Ernesto, ¿te acuerdas del primer viaje que hicimos a Argentina? B. Claro que me acuerdo, perfectamente;* **19.** *¿Te has dado cuenta de que Rosa está más delgada?;* **20.** *Me parece que son unos maleducados, no se han despedido de nadie.*

D **1.** *cómpratelo;* **2.** *llevármelo;* **3.** *te lo;* **4.** *traérmelas;* **5.** *me / te la / nos;* **6.** *Me lo;* **7.** *le / le;* **8.** *Se la;* **9.** *te lo;* **10.** *se la;* **11.** *Se lo / lo;* **12.** *dáselo;* **13.** *se te;* **14.** *les / Díselo / se;* **15.** *Se me / se;* **16.** *póntela;* **17.** *te / te los.*

E **1.** *se;* **2.** *a;* **3.** *de;* **4.** *por;* **5.** *del;* **6.** *de;* **7.** *en;* **8.** *a;* **9.** *de;* **10.** *a;* **11.** *del;* **12.** *en;* **13.** *desde;* **14.** *hasta;* **15.** *desde;* **16.** *a;* **17.** *desde;* **18.** *por;* **19.** *por;* **20.** *por;* **21.** *de.*

F **1.** *en;* **2.** *de;* **3.** *en;* **4.** *de;* **5.** *de;* **6.** *por;* **7.** *para;* **8.** *En;* **9.** *de;* **10.** *sobre;* **11.** *sin;* **12.** *de;* **13.** *por;* **14.** *en;* **15.** *para.*

G **1.** *está / está;* **2.** *están;* **3.** *es / estás / está;* **4.** *es / Está / es;* **5.** *están / es;* **6.** *es / está / Es / está;* **7.** *está;* **8.** *es / estaba.*

H **1.** *había llegado;* **2.** *estaba;* **3.** *había tenido;* **4.** *Me;* **5.** *si;* **6.** *celebraríamos;* **7.** *podías;* **8.** *que;* **9.** *vendría.*

I **1.** *vigilar;* **2.** *redujera;* **3.** *se apartara;* **4.** *detuviera;* **5.** *tomaran;* **6.** *sea;* **7.** *haya llegado;* **8.** *hiciera;* **9.** *llaman;* **10.** *sube;* **11.** *pudiera;* **12.** *cenen;* **13.** *madruguen;* **14.** *hable;* **15.** *se besen;* **16.** *se abracen;* **17.** *ver;* **18.** *haya;* **19.** *escuchar;* **20.** *hagan;* **21.** *se pare;* **22.** *se ponga;* **23.** *hablar;* **24.** *hiciera;* **25.** *saluden;* **26.** *respeten;* **27.** *fume.*

J Libre. Posibles opciones. **1.** *iré a visitarte;* **2.** *comeremos aquí;* **3.** *cenaremos todos juntos;* **4.** *podríamos hablar de nuestros problemas;* **5.** *me podría poner estos pantalones;* **6.** *quedaríamos todas las tardes;* **7.** *no verás el final del partido.*

K **1.** *sobren / sobran;* **2.** *estuvo/había estado;* **3.** *hizo / ha hecho;* **4.** *regalaron;* **5.** *lea;* **6.** *necesites;* **7.** *parezca;* **8.** *haga;* **9.** *guste / haya gustado;* **10.** *diga / haya dicho;* **11.** *vayan;* **12.** *dice / diga;* **13.** *quiere;* **14.** *haga.*

L **1.** *terminaba;* **2.** *se marcharon;* **3.** *se marche;* **4.** *se marchen;* **5.** *llamé;* **6.** *se levantara;* **7.** *convenga;* **8.** *se encuentra;* **9.** *señalaba;* **10.** *paguen;* **11.** *observaban;* **12.** *llegamos;* **13.** *se levantó;* **14.** *viva;* **15.** *quieras;* **16.** *des;* **17.** *dieran;* **18.** *no estuvieron;* **19.** *vean;* **20.** *haga.*

M **1.** *la;* **2.** *el;* **3.** *las;* **4.** *una;* **5.** *la;* **6.** *Ø;* **7.** *Ø;* **8.** *una;* **9.** *una;* **10.** *la;* **11.** *la;* **12.** *las;* **13.** *la;* **14.** *de;* **15.** *un;* **16.** *un;* **17.** *la;* **18.** *un;* **19.** *unos;* **20.** *una;* **21.** *el;* **22.** *una;* **23.** *la;* **24.** *un;* **25.** *la;* **26.** *la;* **27.** *Ø;* **28.** *La;* **29.** *la;* **30.** *la;* **31.** *las;* **32.** *Ø;* **33.** *Ø.*

N *Recuerdo que con el correo de aquella mañana me había llegado un requerimiento de Hacienda, por lo cual estaba yo ligeramente deprimido y bastante más irritado que otro día cualquiera a la misma hora. Al parecer, en mi declaración del año último no figuraba lo percibido el año anterior por una conferencia que di en la Universidad de Málaga ni por una mesa redonda de la que formé parte en la Complutense.*

Vocabulario

Unidad 1

A **1.** *f);* **2.** *h);* **3.** *g);* **4.** *b);* **5.** *e);* **6.** *i);* **7.** *c);* **8.** *a);* **9.** *d).*

B **a)** *ciento doce;* **b)** *cuatrocientos sesenta y dos;* **c)** *quinientos dieciséis;* **d)** *mil quinientos treinta y siete;* **e)** *tres mil seiscientos ochenta y nueve;* **f)** *nueve mil ochocientos ochenta y cuatro;* **g)** *diez mil doscientos cuarenta;* **h)** *cincuenta y dos mil ochocientos sesenta;* **i)** *trescientos mil doscientos noventa y uno;* **j)** *un millón doscientos treinta mil quinientos ochenta;* **k)** *dos millones ciento cincuenta mil setecientos cincuenta y seis;* **l)** *diez millones doscientos setenta y ocho mil novecientos quince.*

C **1.** *docena;* **2.** *pares;* **3.** *veintena;* **4.** *quincena;* **5.** *miles / millares;* **6.** *miles / millares;* **7.** *centenas;* **8.** *decena.*

D **1.** *e);* **2.** *c);* **3.** *d;)* **4.** *b);* **5.** *a);* **6.** *k);* **7.** *j);* **8.** *f);* **9.** *i);* **10.** *g).*

E **a)** *mil novecientos setenta y ocho;* **b)** *mil ochocientos ocho;* **c)** *décimo;* **d)** *uno coma veinticinco o uno con veinticinco;* **e)** *ochenta y dos por ciento;* **f)** *doce mil cuarenta y cinco;* **g)** *dos quintos;* **h)** *catorce coma cincuenta o catorce con cincuenta;* **i)** *docena;* **j)** *trigésimo;* **k)** *cinco;* **l)** *dos tercios;* **ll)** *dos mil cuatro.*

F **a)** *quince más treinta menos diez igual a treinta y cinco;* **b)** *sesenta menos diez más ocho igual a cincuenta y ocho;* **c)** *noventa menos cuarenta y cinco igual a cuarenta y cinco;* **d)** *cincuenta y cinco menos cincuenta entre uno igual a cinco;* **e)** *cien menos ochenta por dos más seis igual a cuarenta y seis;* **f)** *noventa y dos entre nueve más dos por cinco igual a sesenta y uno.*

G Libre.

H **1.** *Un millón novecientos cincuenta y ocho mil doscientos un kilómetros cuadrados;* **2.** *Noventa y siete millones cuatrocientos ochenta y tres mil;* **3.** *Mil novecientos veintiuno;* **4.** *Mil novecientos diez;* **5.** *Mil novecientos;* **6.** *Trece coma seis o trece con seis;* **7.** *Catorce coma tres o catorce con tres;* **8.** *Mil novecientos cuarenta;* **9.** *Mil novecientos setenta;* **10.** *Mil novecientos sesenta;* **11.** *Treinta y ocho coma treinta y cuatro por ciento o treinta y ocho con treinta y cuatro por ciento;* **12.** *Mil novecientos ochenta.*

Unidad 2

A **1.** *monopatín;* **2.** *bicicleta;* **3.** *triciclo;* **4.** *tetracampeón;* **5.** *pentágono;* **6.** *multicultural;* **7.** *polideportivo.*

B *mono: "uno"; bi: "dos"; tri: "tres"; tetra: "cuatro"; penta: "cinco"; multi: "mucho"; poli: "mucho, varios".*

C **1.** *c);* **2.** *e);* **3.** *f);* **4.** *g);* **5.** *a);* **6.** *b);* **7.** *d).*

D **1.** *a;* **2.** *c;* **3.** *b;* **4.** *d.*

E 1. *autógrafo;* 2. *autorretrato;* 3. *autoservicio;* 4. *autoaprendizaje;* 5. *autosuficiente.*

F 1. *desaparecer;* 2. *descolgar;* 3. *desconectar;* 4. *imposible;* 5. *indirectamente;* 6. *irresponsable.*

G 1. *irreal;* 2. *inútil;* 3. *ilegal;* 4. *improbable;* 5. *ilógico;* 6. *inconsciente;* 7. *irresponsable;* 8. *desordenar;* 9. *deshacer;* 10. *desabrochar;* 11. *desagradar;* 12. *desanimar;* 13. *descansar;* 14. *descongelar.*

Unidad 3

A *c).*

B 1. *caluroso;* 2. *ruidosa;* 3. *miedoso / psicológico;* 4. *alérgico;* 5. *histórico;* 6. *orgullosos;* 7. *horroroso;* 8. *poéticas;* 9. *filosófica;* 10. *cariñosa / vergonzosa / celosa.*

C 1. *invisible;* 2. *insoportable;* 3. *inutilizable;* 4. *inexplicable;* 5. *inolvidable;* 6. *irrepetible;* 7. *inalcanzable;* 8. *improbable;* 9. *increíble;* 10. *indiscutible.*

D 1. *habitual;* 2. *profesionales;* 3. *legal;* 4. *nacional;* 5. *escolar;* 6. *opcional.*

E 1. *educación;* 2. *opinión;* 3. *obligación;* 4. *prohibición;* 5. *relajación;* 6. *información;* 7. *votación;* 8. *elaboración;* 9. *aparcamiento;* 10. *adelantamiento;* 11. *pensamiento;* 12. *conocimiento;* 13. *agotamiento;* 14. *enriquecimiento;* 15. *empobrecimiento;* 16. *entendimiento;* 17. *salida;* 18. *llegada;* 19. *entrada;* 20. *ida.*

F 1. *opinión / información;* 2. *llegada / adelantamientos;* 3. *prohibición;* 4. *entrada;* 5. *agotamiento / relajación;* 6. *obligación / empobrecimiento.*

G 1. *alegrarse;* 2. *enfadarse;* 3. *divertirse;* 4. *aburrirse;* 5. *deprimirse;* 6. *enamorarse.*

Unidad 4

A 1. *a;* 2. *d;* 3. *c;* 4. *e;* 5. *f;* 6. *g;* 7. *i;* 8. *h;* 9. *b.*

B *televisión, vídeo, equipo de música, cuadros.*

C 1. *la cocina;* 2. *una mesa redonda;* 3. *al salón;* 4. *la tele;* 5. *los platos;* 6. *al salón;* 7. *el sofá;* 8. *la alfombra;* 9. *la tele;* 10. *mi habitación.*

D 1. *Hay que lavar las cortinas una vez al mes;* 2. *Hay que barrer el suelo todos los días;* 3. *Hay que fregar los platos todos los días;* 4. *Hay que planchar la ropa una vez a la semana;* 5. *Hay que poner la lavadora cada dos días;* 6. *Hay que limpiar el polvo todos los días;* 7. *Hay que hacer la cama todos los días.*

E Semilibre. Posibles opciones. 1. *Ver la tele, leer un libro, escuchar música, jugar a las cartas;* 2. *Hacer la comida, limpiar el horno, fregar los platos, poner la lavadora;* 3. *Una linterna, una vela, un teléfono móvil, una televisión, un ordenador;* 4. *Una silla, un sofá, un taburete;* 5. *Los platos, los vasos, los cubiertos.*

F 1. *armario;* 2. *mesita de noche;* 3. *lámpara;* 4. *despertador;* 5. *colchón;* 6. *almohada;* 7. *pijama;* 8. *perchero.*

G 1. *ordenador;* 2. *calculadora;* 3. *teclado;* 4. *cable;* 5. *flexo;* 6. *ratón.*

H 1. *despertador;* 2. *armario;* 3. *colchón / almohada;* 4. *ordenador;* 5. *mesita de noche;* 6. *pijama.*

Unidad 5

A **Frutas:** 1. *a;* 2. *c;* 3. *b;* 4. *g;* 5. *i;* 6. *d;* 7. *l;* 8. *f;* 9. *h;* 10. *e;* 11. *j;* 12. *k;* 13. *ll;* 14. *m.*

Verduras: 1. *d;* 2. *l;* 3. *m;* 4. *i;* 5. *j;* 6. *c;* 7. *k;* 8. *g;* 9. *f;* 10. *h;* 11. *b;* 12. *ll;* 13. *a;* 14. *e.*

Pescados y mariscos: 1. *a;* 2. *e;* 3. *g;* 4. *f;* 5. *d;* 6. *c;* 7. *b;* 8. *h.*

B 1. *fresa;* 2. *ostra;* 3. *pera;* 4. *calamar;* 5. *pollo;* 6. *berenjena;* 7. *coliflor.*

C **Primer plato:** *fabada asturiana, judías verdes con jamón, sopa de pescado, ensalada mixta, gazpacho, macarrones tres quesos.*

Segundo plato: *filete de ternera, merluza a la romana, trucha rellena de jamón, pollo asado, chuletas de cordero, bacalao al pil-pil.*

Postre: *fruta del tiempo, flan, helado, arroz con leche, tarta de queso.*

D 1. *b);* 2. *c);* 3. *a);* 4. *e);* 5. *d).*

E 1. *asa;* 2. *pelar / cortarlas;* 3. *batir;* 4. *échale;* 5. *fríen;* 6. *cocer;* 7. *pica;* 8. *mezcla;* 9. *reboza.*

Unidad 6

A **a)** *cara;* **b)** *barbilla;* **c)** *mano;* **d)** *muñeca;* **e)** *hombro;* **f)** *pecho;* **g)** *pie;* **h)** *muslo;* **i)** *rodilla;* **j)** *tobillo;* **k)** *culo;* **l)** *cadera;* **ll)** *cintura;* **m)** *codo;* **n)** *cuello.*

B 1. *h);* 2. *a);* 3. *f);* 4. *c);* 5. *g);* 6. *d);* 7. *e);* 8. *b).*

C 1. *garganta / anginas;* 2. *resfriado / cabeza / fiebre;* 3. *gripe / dolía / fiebre;* 4. *gastroenteritis / diarrea;* 5. *varicela / fiebre / granos;* 6. *miopía;* 7. *infarto.*

D 1. *dermatólogo;* 2. *otorrino;* 3. *ginecólogo;* 4. *dentista;* 5. *oculista;* 6. *traumatólogo;* 7. *psicólogo.*

Unidad 7

A 1. *piloto;* 2. *abrocharse el cinturón;* 3. *auxiliar de vuelo;* 4. *aterrizar;* 5. *despegar.*

B 1. *Mostrador de facturación: a;* 2. *Tarjeta de embarque: c;* 3. *Control de pasaportes: d;* 4. *Equipaje de mano: b.*

C 1. *avión;* 2. *aeropuerto;* 3. *vuelo;* 4. *facturar;* 5. *embarque;* 6. *pasaportes;* 7. *aeropuerto;* 8. *pasajeros;* 9. *vuelo;* 10. *retraso;* 11. *asiento;* 12. *mano;* 13. *cinturón;* 14. *despegará;* 15. *piloto;* 16. *pasajeros.*

D **Temporadas:** *alta, media, baja;* **Habitación:** *individual, doble;* **Tipos de alojamiento:** *hotel y desayuno, media pensión, pensión completa.*

E **a)** *1º;* **b)** *6º;* **c)** *5º;* **d)** *2º;* **e)** *3º;* **f)** *4º;* **g)** *7º.*

F **1.** *reservar;* **2.** *libre;* **3.** *completo;* **4.** *individual;* **5.** *doble;* **6.** *Pensión;* **7.** *media;* **8.** *reserva.*

Unidad 8

A **a)** *1;* **b)** *2;* **c)** *7;* **d)** *3;* **e)** *5;* **f)** *9;* **g)** *8;* **h)** *4;* **i)** *6.*

B **Horizontales: 1.** *toalla;* **2.** *sombrilla;* **3.** *bañarse;* **4.** *gorra;* **Verticales: 1.** *moreno;* **2.** *bañador;* **3.** *playa;* **4.** *arena.*

C **1.** *ciudad;* **2.** *alojamos;* **3.** *vistas;* **4.** *vida nocturna;* **5.** *museo;* **6.** *arte;* **7.** *iglesias;* **8.** *recuerdos;* **9.** *monumentos;* **10.** *turistas;* **11.** *fotos.*

Unidad 9

A **1.** *semáforo;* **2.** *paso de peatones;* **3.** *cruce;* **4.** *calzada;* **5.** *señal de tráfico;* **6.** *curva;* **7.** *acera.*

B **1.** *falso;* **2.** *falso;* **3.** *verdadero;* **4.** *verdadero;* **5.** *falso;* **6.** *verdadero;* **7.** *verdadero;* **8.** *verdadero;* **9.** *verdadero;* **10.** *falso.*

C **1.** *c);* **2.** *e);* **3.** *d);* **4.** *a);* **5.** *b).*

D **Lo positivo de vivir en una ciudad: 1.** *Hay mucha vida nocturna;* **3.** *Puedes comprar cualquier cosa;* **4.** *Hay muchas actividades culturales;* **6.** *Hay más oportunidades (trabajo, estudios, etc.).*

Lo negativo de vivir en una ciudad: 2. *Hay demasiada gente;* **5.** *Pierdes el contacto con la naturaleza;* **7.** *El ritmo de la vida es más rápido;* **8.** *Hay mucho ruido, atascos y contaminación;* **9.** *La vida es más cara (vivienda, transporte, etc.);* **10.** *La vida es más peligrosa (hay más violencia).*

Unidad 10

A **A.** *1;* **B.** *3;* **C.** *2;* **D.** *4;* **E.** *6;* **F.** *5.*

B **1.** *f);* **2.** *e);* **3.** *a);* **4.** *g);* **5.** *b);* **6.** *h);* **7.** *d);* **8.** *c).*

C **1.** *b);* **2.** *c);* **3.** *b);* **4.** *a);* **5.** *a);* **6.** *b);* **7.** *c);* **8.** *a);* **9.** *c).*

D **1.** *ser un caradura;* **2.** *irse por las ramas;* **3.** *estás en las nubes;* **4.** *echarme una mano;* **5.** *al pie de la letra;* **6.** *está por las nubes.*

E **1.** *b);* **2.** *c);* **3.** *f);* **4.** *a);* **5.** *h);* **6.** *e);* **7.** *d);* **8.** *g).*

F **1.** *echaba en cara;* **2.** *echar la llave;* **3.** *echo en falta;* **4.** *echar gasolina;* **5.** *se ha echado una novia;* **6.** *echo de menos;* **7.** *echar un vistazo;* **8.** *echa la siesta.*

Unidad 11

A **1.** *delito;* **2.** *delincuentes;* **3.** *detiene;* **4.** *juicio;* **5.** *cárcel.*

B *No pagar impuestos, robar un banco, matar a alguien, traficar con droga, falsificar dinero.*

C **1.** *Ladrón;* **2.** *la víctima;* **3.** *denunciar;* **4.** *La policía;* **5.** *El juez;* **6.** *Su abogado;* **7.** *Asesino;* **8.** *Traficante;* **9.** *delincuente;* **10.** *Crimen.*

D **1.** *e);* **2.** *d);* **3.** *f);* **4.** *b);* **5.** *a);* **6.** *c).*

E **1.** *detuvo;* **2.** *denuncia;* **3.** *murió;* **4.** *víctima;* **5.** *detenido;* **6.** *ladrón;* **7.** *culpable;* **8.** *robos;* **9.** *pruebas;* **10.** *juicio.*

Unidad 12

A

P	A	N	A	D	E	R	O	B	C	I
U	P	E	H	T	U	R	V	Ñ	A	T
T	C	M	E	D	I	C	A	L	R	W
Z	S	P	I	N	T	O	R	A	P	N
C	A	R	T	E	R	A	I	M	I	B
M	Y	E	O	N	L	I	T	S	N	C
X	A	S	T	R	O	N	A	U	T	A
P	C	A	N	T	A	N	T	E	E	P
M	S	R	U	T	R	R	I	O	R	Q
X	P	I	A	N	I	S	T	A	O	Ñ
Q	T	O	M	I	U	T	S	D	K	Y

B **1.** *detengo, e);* **2.** *ordeno, f);* **3.** *Atiendo, b);* **4.** *Llevo, i);* **5.** *atiendo, c);* **6.** *cuido, j);* **7.** *apago, k);* **8.** *actúo, a);* **9.** *Conduzco, d);* **10.** *Arreglo, g);* **11.** *Instalo, h).*

C **1.** *anuncio;* **2.** *buscando;* **3.** *solicitud;* **4.** *sueldo;* **5.** *se jubiló;* **6.** *ascender;* **7.** *han despedido;* **8.** *parado;* **9.** *empleados;* **10.** *gano.*

Unidad 13

A Respuesta libre.

B **1.** *hace;* **2.** *las entradas;* **3.** *sesión;* **4.** *fila;* **5.** *la historia;* **6.** *protagonista;* **7.** *actúa;* **8.** *versión;* **9.** *taquilla;* **10.** *protagonista / secundaria.*

C **1.** *director;* **2.** *autor;* **3.** *protagonista;* **4.** *subtítulo;* **5.** *espectador;* **6.** *estreno;* **7.** *ensayo;* **8.** *aficionado;* **9.** *acto;* **10.** *telón;* **11.** *obra;* **12.** *escenario.*

D 1. *b;* 2. *c;* 3. *e;* 4. *g;* 5. *a;* 6. *d;* 7. *f;* 8. *h.*

E 1. *pianista;* 2. *guitarrista;* 3. *flautista;* 4. *trompetista;* 5. *violinista.*

F 1. *ópera;* 2. *coro;* 3. *compositores;* 4. *orquesta;* 5. *tocar;* 6. *interpretó;* 7. *obra;* 8. *concierto;* 9. *grabar.*

Unidad 14

A

M	P	N	A	T	A	C	I	O	N
O	P	Y	U	R	N	I	V	X	J
T	E	N	I	S	F	C	B	N	U
O	B	M	C	X	U	L	P	R	D
C	A	T	L	E	T	I	S	M	O
I	S	R	V	E	B	S	A	N	E
C	S	R	T	U	O	M	E	F	Z
L	P	A	D	E	L	O	O	X	Q
I	A	C	L	R	O	T	P	I	P
S	E	S	Q	U	I	B	Y	H	O
M	A	L	P	I	N	I	S	M	O
O	T	S	E	C	N	O	L	A	B

B **Deporte:** *fútbol, esquiar, natación, baloncesto, tenis;* **Lugar:** *estadio, pista, cancha, piscina;* **Equipamiento:** *botas, esquís, bañador, traje de nieve, camiseta y pantalones cortos, raqueta.*

C *Jugar al baloncesto / tenis / balonmano; Hacer judo / aerobic / gimnasia / atletismo / ejercicio / natación.*

D 1. *resultado;* 2. *deportes;* 3. *tabla;* 4. *íbamos;* 5. *nado;* 6. *hacer;* 7. *traje;* 8. *cancha;* 9. *pitó;* 10. *hacer.*

E 1. *partido;* 2. *estadio;* 3. *falta;* 4. *árbitro;* 5. *banquillo;* 6. *marcó;* 7. *gol;* 8. *jugador;* 9. *marcó;* 10. *gol;* 11. *espectadores;* 12. *marcador;* 13. *minuto.*

Unidad 15

A 1. *f;* 2. *b;* 3. *c;* 4. *d;* 5. *e;* 6. *a.*

B 1. *Mariluz lleva una blusa de manga corta, una falda de rayas y unos zapatos de tacón;* 2. *Javier lleva una camiseta de manga corta y unos pantalones largos;* 3. *Carmen lleva una camiseta sin mangas, un pantalón de rayas y unas sandalias.*

C **Lo usamos en verano:** *sandalias, camisa de manga corta, pantalón corto, bikini;* **Lo usamos en invierno:** *bufanda, botas, abrigo, calcetines, gabardina, guantes, gorro;* **Complementos de la ropa:** *cinturón, collar, pendientes.*

D **1.** *escaparate / talla / ¿Dónde están los probadores?;* **2.** *sólo estoy mirando;* **3.** *están rebajados;* **4.** *me los llevo / en efectivo;* **5.** *número / está agotado.*

E **1.** *c);* **2.** *e);* **3.** *d);* **4.** *f);* **5.** *a);* **6.** *b).*

Unidad 16

A **Significado positivo:** *optimista, generoso/a, simpático/a, divertido/a, sincero/a, trabajador/a, sociable;* **Significado negativo:** *antipático/a, falso/a, pesimista, vago, tacaño/a, aburrido/a, tímido/a.*

B 1-4, 2-9, 3-11, 5-12, 6-8, 7-10, 13-14.

C **1.** *Insensible;* **2.** *Intolerante;* **3.** *Impuntual;* **4.** *Maleducado;* **5.** *Insolidario;* **6.** *Deshonesto.*

D **1.** *vago;* **2.** *tacaño;* **3.** *tolerante;* **4.** *tímida / sociable;* **5.** *puntual;* **6.** *pesimista;* **7.** *sincero;* **8.** *antipático / maleducado.*

Unidad 17

A **1.** *Levantarse;* **2.** *Entrar;* **3.** *Hablar;* **4.** *Llorar;* **5.** *Destruir.*

B **1.** *f);* **2.** *e);* **3.** *g);* **4.** *b):* **5.** *h);* **6.** *a);* **7.** *c);* **8.** *d).*

C **1.** *ha prohibido;* **2.** *rechazó;* **3.** *pierde;* **4.** *recuerdas;* **5.** *negó;* **6.** *ponte;* **7.** *murió / vivió;* **8.** *olvidé;* **9.** *afirmó;* **10.** *acepté;* **11.** *apaga.*

D **1.** *ha vendido;* **2.** *pagar;* **3.** *llevar;* **4.** *han denegado;* **5.** *has traído;* **6.** *salir;* **7.** *vienes;* **8.** *compras;* **9.** *se ha llevado;* **10.** *he cobrado;* **11.** *han concedido;* **12.** *entrar.*

E **1.** *Denegar;* **2.** *Quitarse;* **3.** *Destruir;* **4.** *Prohibir;* **5.** *Apagar;* **6.** *Cobrar;* **7.** *Traer;* **8.** *Aceptar;* **9.** *Salir;* **10.** *Hablar;* **11.** *Negar;* **12.** *Recordar;* **13.** *Perder;* **14.** *Vivir.*